総合判例研究叢書

民　法（28）

連帯保証債務……………………勝本正晃

有斐閣

序

フランスにおいて、自由法学の名とともに判例の研究が異常な発達を遂げているのは、その民法典が百五十余年の齢を重ねたからだといわれている。それに比較すると、わが国の諸法典は、まだ若い。最も古いものでも、六、七十年の年月を経たに過ぎない。しかし、わが国の諸法典は、いずれも、近代的法制を全く知らなかつたところに輸入されたものである。そのことを思えば、この六十年の間に極めて重要な判例の変遷があつたであろうことは、容易に想像がつく。事実、わが国の諸法典は、それに関連する判例の研究でこれを補充しなければ、その正確な意味を理解し得ないようになつている。

判例が法源であるかどうかの理論については、今日なお議論の余地があろう。しかし、実際問題として、多くの条項が判例によつてその具体的な意義を明かにされているばかりでなく、判例によつて特殊の制度が創造されている例も、決して少くはない。判例研究の重要なことについては、何人も異議のないことであろう。

判例の創造した特殊の制度の内容を明かにするためにはもちろんのこと、判例によつて明かにされた条項の意義を探るためにも、判例の総合的な研究が必要である。同一の事項についてのすべての判決を採り、取り扱われる事実の微妙な差異に注意しながら、総合的・発展的に研究するのでなければ、判例の研究は、決して終局の目的を達することはできない。そしてそれには、時間をかけた克明な努力を必要とする。

幸なことには、わが国でも、十数年来、そうした研究の必要が感じられ、優れた成果も少くないようになつた。いまや、この成果を集め、足らざるを補ない、欠けたるを充たし、全分野にわたる研究を完成すべき時期に際会している。

かようにして、われわれは、全国の学者を動員し、すでに優れた研究のできているものについては、その補訂を乞い、まだ研究の尽されていないものについては、新たに適任者にお願いして、ここに「総合判例研究叢書」を編むことにした。第一回に発表したものは、各法域に亘る重要な問題のうち、研究成果の比較的早くでき上ると予想されるものである。これに洩れた事項でさらに重要なもののあることは、われわれもよく知つている。やがて、第二回、第三回と編集を継続して、完全な総合判例法の完成を期するつもりである。ここに、編集に当つての所信を述べ、協力される諸学者に深甚の謝意を表するとともに、同学の士の援助を願う次第である。

昭和三十一年五月

編集代表

小野清一郎　宮沢俊義
末川　博　我妻　栄
中川善之助

凡　例

一　判例の重要なものについては、判旨、事実、上告論旨等を引用し、各件毎に一連番号を附した。

二　判例年月日、巻数、頁数等を示すには、おおむね左の略号を用いた。

大判大五・一一・八民録二二・二〇七七　（大審院判決録）

（大正五年十一月八日、大審院判決、大審院民事判決録二十二輯二〇七七頁）

大判大一四・四・二三刑集四・二六二　（大審院判例集）

最判昭二二・一二・一五刑集一・一・八〇　（最高裁判所判例集）

（昭和二十二年十二月十五日、最高裁判所判決、最高裁判所刑事判例集一巻一号八〇頁）

大判昭二・一二・六新聞二七九一・一五　（法律新聞）

大判昭三・九・二〇評論一八民法五七五　（法律評論）

大判昭四・五・二二裁判例三・刑法五五　（大審院裁判例）

福岡高判昭二六・一二・一四刑集四・一四・二一一四　（高等裁判所判例集）

大阪高判昭二八・七・四下級民集四・七・九七一　（下級裁判所民事裁判例集）

最判昭二八・二・二〇行政例集四・二・二三一　（行政事件裁判例集）

名古屋高判昭二五・五・八特一〇・七〇　（高等裁判所刑事判決特報）

東京高判昭三〇・一〇・二四東京高時報六・二・民二四九　（東京高等裁判所判決時報）

札幌高決昭二九・七・二三高裁特報一・二・七一（高等裁判所刑事裁判特報）
前橋地決昭三〇・六・三〇労民集六・四・三八九（労働関係民事裁判例集）
その他に、例えば次のような略語を用いた。
裁判所時報＝裁　時　　家庭裁判所月報＝家裁月報
判例時報＝判　時　　判例タイムズ＝判　タ

目次

連帯保証債務

勝本正晃

判例索引

連帯保証債務

勝本正晃

小序

本書の執筆が私の個人的な、種々な事情から、当初予定せられた時期に非常に遅れたため、読者や出版社の方方に迷惑をおかけしたことは申訳ない次第である。

連帯保証に関する判例は、他の部分に比して少ないので、私の執筆した項目は、他の項目と合冊となることを予定していた。しかし、他の同類の項目が既に刊行されたので、本稿の取扱は編集者に一任する。

内容、体裁はすべて既刊の本叢書にならつた。判例の総合的研究を主とするものであるから、学説の引用等は必要ある最小限に止めた。引用学説の古い所は拙著債権総論中巻之一の五一二頁以下、連帯保証のところを参照せられたい。最近のものとしては、特に左の諸著を参考にした。


石本雅男・債権法総論（昭三六）（**石本**として引用）。

於保不二雄・債権総論（昭三四）（**於保**として引用）。

西村信雄編・注釈民法一一巻（債権二）（昭四〇）（**注釈民法**として引用）。

山中康雄・債権法総則講義（昭二三）（**山中・講**として引用）。

山中康雄・債権総論（昭二八）（**山中**として引用）。

柚木馨・判例債権総論（下巻）（昭四〇）（**柚木**として引用）。

我妻栄・新訂債権総論（民法講義Ⅳ）（昭三九）（**我妻**として引用）。

我妻栄編著・債権総論（判例コンメンタールⅣ）（昭四〇）（**コンメンタール**として引用）。


なお、拙著債権総論中巻之一（昭一九）は**勝本**何頁として引用、其他は一般の引用例に従い、判読し得る程度の略記によつて引用する。

本叢書の連帯債務（民法16）の著者椿　寿夫教授、其他打田畯一教授、泉久雄教授は、種々資料を提供せられことに打田君は校正に当つても助言を与えられたことを衷心感謝する次第である。

なお、判例として【　】番号を附して引用する部分は、一つの判決のうちで当該問題に対する部分の摘記であるから、一つの判例中、数個の問題について判旨を示している場合には、判例として重複して現われることもあるわけである。右の記号は、判旨に関する番号で、判例の数を示すものではない。引用した判例は、判決日付順で整理した巻末の索引を参照せられたい。そこに引用番号があり、どのように重複しているかが分かるようになつている。

最後に一言したいことは、私に対し、連帯保証として与えられた紙面は四百字詰三百枚である。これは、連帯保証プロパーに関する判例の数から云つて他の「総合判例研究」叢書に比して多きに失する。半分位が適切だと思う。しかし、編集部の都合もあることだから、簡繁、やや、よろしきを得ないが、時には判例の殆んど全趣旨を引用した部分もある。しかし、よく読まれればかかる引用も無意味でないことを理解してもらえると思う。この辺の点についても切に各位の了解を得たいと思うのである。

なお、連帯保証プロパーの判例の範囲であるが、厳格に云うと一般の保証理論に関するものは避けるべきである。そうなると、結局、四五四条と四五八条、ことに重点は後者のうち保証人について生じた事項が主債務者にいかなる影響があるかという一点に絞られる。蓋し、主債務者について生じた事項が連帯保証人に及ぼす効力については、一般の保証の理論に従うからである。しかし、この総合判例研究叢書の中には今までのところ一般の保証に関するものは出ていないので、本書においては右の部分にも論及し、とにかく、連帯保証という事項と関係のある判例は一わたり考慮に入れることにした。しかし、また或は判例を逸脱し、其他重要な判例について説明が不充分な点もあることと思うが、そこは必要に応じ増訂して行くつもりである。これらの点についても切に読者の諒承を願う次第である。

一九六六年八月初旬

軽井沢において

勝本正晃

一　連帯保証債務の意義及び性質

一　連帯保証債務の意義

連帯保証債務（以下・連帯保証ともいう）とは、債権者に対して、主たる債務者と並んで連帯債務と同様な責任を負担して、主たる債務を保証する債務をいう。民法四五四条に「保証人カ主タル債務者ト連帯シテ債務ヲ負担シタルトキ」とあるのが、それである。また、民法四五八条に「主タル債務者カ保証人ト連帯シテ債務ヲ負担スル場合」とある場合の保証である。ただし、右の四五八条に「主タル債務者カ保証人ト連帯シテ」という表現は、やや妥当を欠くのであつて、やはり「保証人カ主タル債務者ト連帯シテ」と表現すべきである。そうしなかつたために民法四三四条ないし四四〇条の適用（準用）があたかも主たる債務者に適用せられるような誤解を生じ、それと関連し一種の制限的な連帯債務が発生するような錯覚を生ぜしめる。しかし、連帯保証の本質が保証であることは、連帯保証が保証債務の中で規定せられていること、民法四五七条が連帯保証にも適用あることから見て疑いなく、また、そうでなければ法規自体における矛盾を救い得ないことになる。

ただし、四五八条の「主タル債務者カ保証人ト連帯シテ債務ヲ負担スル」という表現に対する批判は次の様な解釈をとるときは、多少緩和される。即ち、四五八条によつて連帯保証人に、四三四条ないし四四〇条が適用（準用）せられる結果、少なくとも四三四条が主たる債務者の不利益において作用する結果を生ずる、即ち、連帯保証人に対する履行の請求が、普通保証ならば主たる債務者に及ばず、保証人は催告の抗弁を利用して、主たる債務者に請求の効力を及ぼすべきであるが、連帯保証となると保証人に催告の抗弁権がないかわり、保証人に対する請求が民四三四条によつて直接に主債務者に効力を及ぼすこととなる。主たる債務者が保証人と連帯するとこういう羽目になるという、考え方から云えば、民四五八条のような表現はさまで不当ではない。これは連帯保証は債権者にとつて単に担保力のみならず、債権者の利益を一般に強化するという立場からは是認せられる立法政策である。その様な立法政策が理論と実際から云つていいか悪いかは別として、現行法の解釈としては、一応その様な考え方が成り立つのである。しかし、それならそれで四三四条との間に表現形式上誤解を生じないような方法をとるべきである。ことに、連帯保証といえども、債権者と保証人間の契約によつて生ずるわけであるから、民四五八条だと主たる債務者が契約当事者となるような錯覚を生ずるのである。理論から云えば、そのような錯覚が間違つているのであるが、法律は法律家の専有物でなく、ことに民法の如きは、誰が読んでも分かり易いことが必要であるから、多少表現がくどくなつても、誤解を来たさないことが必要だと思われる。しかし、以上は、悉く立法論にすぎない。解釈論として、連帯保証人に対する請求が主債務者に及ぶことは疑いないのである（もつとも、解釈論として、四三四条は準用すべきでないとの少数説があることについては後述）。

とにかく、これらの条文の結果、連帯保証人はある程度、連帯債務者と同様に債権者に対し第一次的に全部の履行の責任を負い、従つて、一般の保証人の有する催告、検索の抗弁権を有しない。しかし、連帯債務者そのものとなるのではない。連帯保証も一種の保証であり、主たる債務に対して附従性を失わないのであるが、債権者側からすれば、普通の保証より一層債務の履行が確保せられるわけである。

かように、連帯保証は一種の強化せられた保証であるが、今日の現実の取引においては、一般の保証の例外ではなく、むしろ原則化しようとしている。第一に商事においては商五一一条二項の適用上連帯保証が原則的な形態であり、民事保証においても連帯の特約をする場合が多い。蓋し、債権者は一般の保証人の有する催告の抗弁権（先訴の抗弁権）、検索の抗弁権に煩わされる不便が多いからである（我妻四九七頁も連帯保証が普通の保証より多く行なわれているようだとする。なお、加藤・ジュリスト四二号三四頁参照）。しかして、それはまた、保証債務が契約によって発生する場合には、債権者の意思が主動的であるからである。ただし、商五一一条二項によって連帯保証が発生する場合、連帯に関する意思表示は必要としないが、そこには債権者の保護（債権者の推定意思の保護）が立法の基礎となっているのである。

人的担保の方法として連帯保証に匹敵するものとしては、負担部分のない連帯債務者、または併存的（重畳的）債務引受人を立てる方法が利用せられ、就中、併存的債務引受人の地位、責任、原債務との関連については保証債務と関連して問題が多いが、ここでは触れない。

さて、保証人の責任を、連帯保証という形で強化することは、制度として如何なる意義を有するか。そこには一般の保証債務と共通な面において種々問題があるのである。本書においては、ただ連帯保証に関する判例を通じて見た観察に止まるのであるが、そこには更に人的担保制度一般、否、物的担保をも含めて、総て履行確保の制度、信用確保の制度につながる問題が存在するのである。しかし、本書においては、そのところまで問題を押し広げて行くことはできない。ただ押しつめて行けば問題はそこ迄行くと云うことを念頭に入れて連帯保証に関する判例を鳥瞰した観察を述べるに止めたい。

　概括して云えば、保証が連帯保証等の形においてその責任が強化されると、本来保証制度そのもののうちに包含せられていた不合理な部分が一層露呈せられる結果となり、保証責任が無過失化し、単なる損害担保制度に移行し、保険的性格が強くなると共に、有償保証の徴候があらわれ、ついには保険制度に移行するという結果が暗示せられる。以下、それらの点について少しく説明を加える。

　保証制度自体はローマ法の昔からあつたが、当初は、債務者の信用を保障する趣旨のものであり、そこには身元保証におけると同じような、縁故的な人的関係にある保証人が債務者の信用を債権者に対して保証したのであつた。従つて、保証人がその知人である債務者のために債権者に信用を与えるというのは、一の好意であり、委任と同じく無償的行為であつたのである。しかし、金融資本主義の時代においては、この形態は二つの点において疑問を生ぜしめる。第一にかような行為が無償的に発生するという原則は、それでいいのか。第二に、従つて、また、保証責任が過重であるという結果とならないかという点である。

　先ず第一の点について述べれば、かりに現代の段階においては、無償行為でよいとすれば、現今の法制上、無償行為に特有な責任軽減事由は、保証契約において、如何なる形で実現せられているかという問題である。ドイツ民法では、保証人の意思が書面によることを必要とする（ド民七六六条）。贈与契約が、取消し得ないことの要件として書面を必要とするのと同じである（民五五〇）。無償行為は英法ではいわゆる consideration を欠くのであるから deed が必要とされるわけである。この点から云えば、日本民法でも、取消し得ざる保証のために書面を必要とすることが、少なくとも立法政策としては考えられる。ただ、この点について注意すべきは、保証人の主たる債務者に対する求償権である。保証人は求償権があるから保証は無償行為ではないとの考え方である。しかし、主たる債務者が弁済し得ないため、保証人が代つて弁済するという場合に其求償権なるものが、有名無実な存在に過ぎないことは判例の事案を俟つ迄もない。また、条文の解釈としても、保証が有償行為であるという解釈は成立たない。しかして、この保証の無償性ということは、更に進んで保証責任の無限性と無過失性とにつながつて、批判されなければならぬのである。即ちここに第二として保証責任の過重性が問題となるのである。

元来、保証制度は主たる債務者個人の信用を保証するものであり、その過失ある不履行に対し、保証人が債権者に、予めそういうことが無いことを保障するものである。しかし、このことは二つの点において、矛盾を包含する。一つは、保証契約の成立する普通の過程における如く、保証人が主たる債務者の委任を受けて保証に立つ場合を考えて見ると、主たる債務者は、保証人には迷惑を掛けないということを誓つて、保証人になることを要請し、保証人もこれを信じて承諾するのである。始めから主たる債務者の不履行を見越して保証するということは、殆んど考えられないのみならず、それでは保証が無償行為たることと矛盾する。いかにも、保証契約は、債権者と保証人間のものであり、保証人と主たる債務者間の事情は保証契約自体には縁由たるものにすぎないが、この間の事情は債権者も多くの場合知つているところであり、右契約の縁由は、債権者の、これを知ることによつて、保証契約の条件に準じて考慮せられる可能性があるのである。しかし、判例はこの間の利害の調節を契約成立の問題として取上げず、むしろ効力の制限問題として考慮することに努力を払つている。即ち、判例は或場合には、保証人に解約権を与えて、保護しているのである（本書後述四参照）。もつとも保証人は必ずしも主たる債務者の委託を受けて保証人となるとは限らない。主たる債務者の意向とは関係なく、場合によつては、債務者の意に反しても保証を為し得る（民四六二条二項。四七四条との関連が問題となる）。しかし、そこには債権者と保証人間に、一見無償的なる保証契約を合理化する（隠れた）原因が無ければならぬのである。

更に、また、代位弁済を為すについて正当な法律上の利益を有する者が、保証人となる場合がある。この場合には、保証契約自体は無償で行なわれていても、それを償う縁由が存し、しかも、この縁由は通常債権者に知られている事情である。従つて、形式上、保証契約が無償であるから、不合理であるとの結果は、一概には云えないのであるが、沿革的に云うと、保証には、身元保証契約に見るような純粋な経済観念で割り切れぬような分子が作用していることは否定し得ないのである。

次に保証責任の過重性ということに説明を加えたい。保証責任の過重性ということは結局、保証責任の附従性の故に主たる債務責任の過重ということにつながる問題である。本来、保証は、主たる債務者が故意または過失によつて、その債務を履行しない場合に、保証人において代つて履行することによつて債権者に満足を与え得る行為を目的とするものである。従つて、保証債務の目的、内容たるものは作為の債務に限る。作為の債務でも、保証人において代つて履行した結果主たる債務者が履行したのと同一の結果を生ずる作為の債務でなければならぬ。こう考えてくると、保証が成立し得る作為の債務というものは自ら範囲が限られる。しかし、その中で事実上、保証の目的として判例の事案の大部分を占める重要なる債務がある。それは金銭の給付を目的とする債務である。而して、この債務については、主たる債務者は、その不履行に対し不可抗力をもつて抗弁となし得ないのである（民四一九II）。かように、金銭債務の履行においては原則として主たる債務者は無過失責任を負い、従つて、保証人の責任も、無過失的に発生する。要するに、保証は、実際的には、金銭債務の保証であり、従つて、債務者の故意過失を問題と為し得ない。これは、本来、沿革的に、保証が債務者の故意過失に対する保障であるということから見れば、保証の性質として一種の脱皮が行なわれていることを見逃すことはできない。また保証責任も主債務の無限責任に従つて、原則として無限である。否、判例は、多く、主たる債務が有限責任である場合にも、保証責任は無限であると判示している。しかも、そういう解釈は必ずしも不可能でない。問題は、そういう解釈を許される所の現代の保証制度そのものに対する批判に迄遡らなければならない。

次に、保証責任の右の様な無限化、無過失化は、現代の保証制度に、多分に、損害担保契約たる色彩を濃厚ならしめる。即ち、そこには、債権者が、その有する債権につき実効を挙げないときは、原因の如何を問わずその損害を担保するという制度に移行しつつあるのである。このことは、多分に保証制度を保険制度化することになり、不可抗力を原因とする損害塡補に向わしめ、従つて、不可抗力を合理的に調節する所の、有償的保険制度への移行が想定せられるのである。このことを現実に即して見ても、近時立法化せられたいわゆる信用保証協会保証においては保証料の支払が約定せられることが、むしろ原則となる傾向があるのである（信用保証協会法八条二項、同法施行規則三条二号参照）。また、身元保証制度が、身元保険に移行するように、将来、不可抗力による債務の不履行に対する、保険的な、保証制度が考えられるべきである。ここ迄くると、事はもはや民法上の法律論の域を出で、信用金庫等による低利金融の制度、かつ、其公益化が国家の経済、金融政策の全面的立場から検討せられねばならぬのである。これらは、連帯保証の判例と直接関係がないように見えるが、連帯保証に関する数多くの判例を総括してみるとき、債権者の保証強化の要請に対し、判例が保証責任の限度を各方面より合理化し、または制限せんとしている努力は、保証制度の将来に対し多くの示唆を与えるものと云わなければならない。判例の綜合的研究の使命は人々によつて種々な見方があることであるが、ある法律制度の過去と現在と将来とをつなぐ線において問題を捉えることも重要なる一の見方といえるであろう。

二　連帯保証の性質

（一）　連帯保証（債務）は保証（債務）の一種である。このことは、民法第三編債権編の一章三節四款の保証債務の中に、それに関する規定が存することにより、また、その規定の内容からいつても明らかなことである。要するに、連帯保証は、債務者に対する保証人の責任を強化し、債権者が、先ず保証人に履行の請求をした場合においても、保証人は、前述の如く、普通の保証人の如き催告の抗弁及び検索の抗弁権を有せず、直ちに履行の責に任じなければならぬのである（民四五四）。なお、民四五八条は、連帯保証に連帯債務に関する民四三四条乃至四四〇条（連帯債務者の一人について生じた事由の効力に関するもの）を適用（準用の意）している結果、連帯保証人に対する請求が主たる債務者にも効力を及ぼす結果となり、これはまた、連帯保証人が催告の抗弁権を有しないことと関連するが、連帯保証のこの特質も、もとより、連帯保証の保証たる本質を左右するものではない。

連帯保証の本質が、保証の一種であることについては、学説としても大体一致している所である（勝本五一四頁（註）に掲げた諸説。其他、我妻四九七頁―四九八頁、於保二五四頁、柚木九四頁等）。ただし、稀には、連帯債務と保証債務との中間の性質を有するものとする（岩田新・債権法概論（昭六）一九九頁、加藤・ジュリスト四三号三四頁）。なお、学者によっては連帯保証は保証と連帯債務の性質を併有するという考え方をとるが、単に債権者に対する関係において、連帯債務的効果があるという意味において、必ずしも誤りでない（平沼・債権総論二四九頁参照）（コンメンタール二〇九頁は、連帯債務でもあるといっている）。

なお、民四五八条は連帯保証につき民四三四条ないし四四〇条を適用すといっており、「適用す」という以上、連帯保証は連帯債務であるとの所論もあり得るが、これは、連帯保証の本質を以て保証であると解する限り、準用の意義である。かつ、右の規定は、連帯保証人について生じた事項が主たる債務者に如何なる効力を及ぼすかについて適用あるものであり、主たる債務者について生じた事項については、保証の本質上、保証人に利益となる限り、原則として、その効力が保証人に及ぶと解すべきである。この点についても、学説は大体一致している（同旨、コンメンタール二〇九頁―二一〇頁。なお、後述三の二(一)(1)の説明参照）。

以上の所論を念頭において、次にわが判例を検討してみよう。判例においても、連帯保証が、実質上、保証債務の一種であることは、極めて早く確認している所である。左に其例として、明治三一年の大審院判例【1】を掲げる。そしてその主旨は、明治四一年の判決【2】にも踏襲せられている。

【1】「保証人カ主タル債務者ト連帯シテ債務ノ弁済ヲ為サンコトヲ約諾スルハ固ト是レ各人ノ自由ナルモ単ニ連帯債務者トシテ債務ヲ負担スルニアラスシテ保証債務トシテ取結ハレタル一種ノ特約ニ外ナラサル以

上其特約ヲ為シタルカ為メニ契約本来ノ性質ニ変更ヲ来タスヘキニ非ス而シテ保証ハ元来附従ノ契約ニシテ其主タル契約ト運命ヲ共ニス可キハ契約自体ノ性質上然ラサルヲ得サル筋合ナルカ故ニ原判決ニ於テ被上告人カ保証人トシテ主タル債務者ト連帯シテ債務ヲ弁済スヘキ特約ヲ為シタル事実ヲ認メ之ヲ従タル契約ナリト判定セシハ相当ニシテ原判決ハ保証ニ関スル法則ヲ不当ニ適用シタル等ノ違法アルコトナシ」(大判明三一・四・二九民録二・四・八一)。

【2】「保証人ハ主タル債務者其債務ヲ履行セサル場合ニ於テ其履行ヲ為ス責ニ任スル者ニ過キサルコトハ民法第四四六条ノ規定スル所ナリ而シテ主タル債務者ト連帯シテ債務ヲ負担シタル保証人ト雖モ亦一ノ保証人タルコトヲ失ハサルカ故ニ連帯債務者ト同一視スルコトヲ得サルハ多言ヲ要セサル所ナリ」(大判明四一・二・二八民録一四・一六二、民抄録三三・七四三九)。

なお、大判大九・一〇・二三民録二六・一五八二(判批、菅原・論叢五巻五号一二一頁)も「連帯保証モ亦保証ニ外ナラサルヲ以テ主タル債務者ニ対スル履行ノ請求其他時効ノ中断ハ民法第四五七条一項ニ従ヒ連帯保証人ニ対シテモ其効力ヲ生スルモノニシテ」といい、また大判昭七・一二・二(新聞三四九九号一四頁)も、「保証人カ主タル債務者ト連帯シテ債務ヲ負担シタルトキト雖モ尚保証タル性質ヲ失ハサルモノニシテ」云々といっている。

ただし、ある古い判例は連帯保証人が「債権者ニ対スル関係ニ於テハ全然主タル債務者ト同一ノ地位ニアルモノトス」(大判明三七・二・一民録一〇・六五、【38】)としているのは、債権者の全額請求に関するものとしては誤りでないが、保証人たる特質(例えば民四五七)まで、なくなるように誤解される虞れがある。

(二)　附従性と関連する各種の問題　連帯保証が、主たる債務に対し附従性を有することを明認した判例は少なくない。比較的古いものとして前掲明治三十一年の大審院判例【1】の中でも前述の如く「保証ハ元来附従ノ契約ニシテ其主タル契約ト運命ヲ共ニスヘキハ契約自体ノ性質上然ラサルヲ得サル筋合ナルカ故ニ原判決ニ於テ被上告人カ保証人トシテ主タル債務者ト連帯シテ債務ヲ弁済スヘキ特約ヲ為シタル事実ヲ認メ之ヲ従タル契約ナリト判定セシハ相当」であるとしている。

その後も同趣旨の判旨は屢々繰返されている（大判明四一・一二・二八民録一四・一六二二、東京控判明四三・七・七新聞六六一・一一、大判明四三・一二・二六民録一六・八一七、大判昭一三・二・四民集一七・八七）。

かように連帯保証債務は主たる債務に対し附従性を有するが、そのため連帯保証人は主たる債務者と同一の地位に立つものではない。この点については、連帯保証人が競売法に於けるいわゆる債務者ないし利害関係人と同視すべきか否かが問題となつた事案がある。

【3】「（決定理由）　仍テ案スルニ抗告人等カ本件債務ノ連帯保証人タルコトハ本件記録編綴ノ公正証書写ニ徴シ明白ナルモ連帯保証人ハ連帯債務者ト異リ競売法第二十四条若クハ第二十七条ニ所謂債務者若クハ競売ノ利害関係人ニ該当セサルモノトス従テ本件競売申立書及競売開始決定書中ニ債務者トシテ抗告人等ノ氏名住所ヲ掲記セサリシコト並ニ昭和六年五月十二日ノ本件競売期日ヲ抗告人等ニ通知セサリシコトハ本件記録ニ徴シ明白ナリト雖モ原審ニ於ケル斯カル手続ハ何等右競売法ノ規定ニ違背スルモノニ非サルヲ以テ抗告人等ノ此点ニ関スル主張ハ到底之ヲ採用シ難シ」（神戸地決昭六・七・一九新聞三二九八・一四）。

連帯保証は、保証の一種であるから、連帯債務におけると異なり、原則として、債務者各自の負担部分というものはなく、保証人は常に其弁済したる全額について、主たる債務者に対して求償権を有する。かつ、其求償関係においても通常の保証と異ならない（民四五九以下参照。なお詳細は三の五、六参照）。

連帯保証の附従性と関連する問題は多岐に亘るが、連帯保証が成立してから、後発的に、主たる債務者または保証人について生じた事項の効力については後述三、効力の二、(一)(二)に譲る。ここには連帯保証の成立に関連する附従性の問題について述べる。

(1)　将来の債務に対する連帯保証（根保証または信用保証）　連帯保証の附従性と関連して特に問題となるのは、将来の債務に対する保証、いわゆる根保証または信用保証といわれているものである。本来主たる債務が未だ成立しない場合に、其債務につき連帯保証を約しても附従性から云えば、なんら保証債務上の責任は発生しないわけである（大判大八・三・二六民録二五・四九六、評論八民四五七）。しかし、それが一種の担保契約として有効なことは疑いないとしても、民法上の保証契約そのものが発生するか。発生するとしても、主債務の成立を停止条件として発生するのか。また、或は保証責任（主債務額）の限度、保証期間等一定の条件が具備している場合に、根抵当と同様に認められるのか。問題は多いが、理論的にいつて、元来、保証人の責任なるものは、将来主債務が不履行に陥つた場合に責任が発生するものであり、更に債権者の請求によつて、それが具体化するという性質のもので、保証人の責任そのものは保証債務成立当初は、極めて不確定なるものである。果して然らば、主債務の未発生なる場合においても、そのような債務が発生する可能性があるならば、保証債務の成立を認めても、保証人の責任の将来性という点では、一般の保証の場合と五十歩百歩である。この様な観点から、また、実際上の要請があるという点から、私見もなるべく広く将来の債務の、保証（民法、商法上の）が有効に成立することを認むべきだと思うが、判例は、早くから、むしろ簡単に根保証の有効性を認めているのである。

比較的古い、指導的な判例としては、大判大一四(大判大一四・一〇・二八民集四・六五六)を挙げることができる。その後も同旨示の判例は、繰返され、例えば大判昭九(大判昭九・五・二五民集一三・八四二、【73】参照)では、将来振出さるべき手形債務の保証を当然有効とし、また翌年の大判昭一〇(大判昭一〇・四・一六裁判例九・一〇三、後出)の如きも「将来負担スルコトアルヘキ債務ニツキ連帯保証ヲ為シタル者」云々といつて、当然根保証の有効なることを認めている。これらは、一般に、保証の最高限度額の定め及び保証期間の制限がなくても、保証契約の成立を妨げないと為すものであるが、ただし、そのような根保証については、一定の期間後または一定の要件の下に解約権が認められ(大判昭七・一二・一七民集一一・二三三四)、或は相続が制限せられる(大判大一四・五・三〇新聞二四五九・四、評論一五民八、大判昭一〇・一〇・一三裁判例九民二五七、その他)等の問題が起るのである。これらは、一般の保証の問題として特に研究せられるべきであるが、本書においても連帯保証に関する限りこれに言及しておいた。

かように、わが判例は原則として、最高額限度も、責任期間の制限、主たる債務の性質等に関する制限なく、根保証を認めるのであるが、然しながら一方保証人の責任を過大ならしめないように配慮し、契約の解釈、公序良俗等によつて、責任の限度、内容を制限しようと努力していることが察せられるのである(なお、一般保証の問題としては、勝本三三八頁以下参照)。

このように、実社会の要請によつて、理論的には、民法の規定になじまない制度が、漸次慣習化せられてくる場合に、裁判所は、事実は事実としての成立を認めながらその効力の面において、法律の解釈として、また当事者の意思解釈として、当事者間の利害の調整を計ることに努力するに至ることは法制、判例の進化の上から見て注意すべき点だと思う。

なお、以前の判例、殊にある種の下級審の判例においては、(連帯)根保証の有効性につきやや慎重な説示を試みているものがある点に注意を要する。

【4】「次ニ被控訴人ハ控訴人主張ノ本件保証契約ハ保証セラルヘキ主タル債務ノ発生ノ始期終期其ノ内容限度等不確定ニシテ従テ保証債務ノ内容等モ一定セサルカ故ニ無効ナリト抗弁スレトモ保証契約ハ必スシモ契約当時既ニ主タル債務ノ確定存在スルコトヲ要スルモノニアラスシテ将来主タル債務ノ発生スヘキコトヲ予想シ予メ保証契約ヲ締結シ後日主タル債務ノ成立確定スルヲ待チ保証ノ責ニ任スヘキコトヲ約スルモ亦保証契約トシテ有効ナリトス而シテ控訴銀行ト被控訴人間ノ本件保証契約モ同銀行ト債務者間ニ於ケル前記荷為替取組手形其ノ他ノ取引ニ依リ将来発生スヘキ債務ニ付被控訴人ニ於テ予メ之カ保証ノ責ニ任スヘキコトヲ約シタルモノナルヲ以テ保証契約成立当時主タル債務カ確定不動ノモノニアラサルコトハ斯ル保証契約ノ性質上当然ノコトニシテ之ヲ理由トシテ本件保証契約ノ成立ヲ論難スルハ当ヲ得タルモノニアラス」(宮城控判昭二・六・二三新聞四〇一五・一三)。

この判例は、契約意思の解釈として保証債務の成立を認めているようであるが、次の判決は昭和三〇年の大阪地裁のものである。これは、比較的新しい判決であり、将来の債務にして、かつ、債務額不定の債務の保証が一定の条件の下において可能であること、なお特に解約権によつて連帯保証人を保護し得ることを判示している点で注意すべき判決である。

【5】「(理由)　原告は将来に向つて時間的にも、金額的にも無制限な連帯保証責任を負担することは、商法第五五条の立法精神に反し無効である旨主張するが、会社が他の会社の無限責任社員となることと、限度額の定めのない将来債務の連帯保証とはその法律上の性質を異にするのみならず、限度額の定めのない将来債務の保証と雖も相当の期間経過後は任意にこれを解約し、その拘束より脱し得るものであるから、必ず

しも無限責任を負担した場合と同視できないし、殊に原告会社が負担した前記連帯保証責任の範囲は、通常約束手形の満期はその振出日より二ケ月乃至三ケ月先なる顕著な事実と、証人Aの証言により認められるBの事業能力よりして一ケ月間にBが被告Y及び同Y′より購入する材料の数量には限度があり、原告会社はこの事を知悉していた事実からして、原告会社の右連帯保証債務には自から一定の極度額があったものというべきである。したがっていずれの点よりしても、原告のこの点に関する主張は採用の限りではない」(大阪地判昭三〇・一・一八下級民集六・一・一九、時報五四・一八)。

更にある下級審判決には、手形貸付を受け若しくは荷為替手形の取組を受けたる支払債務の連帯保証は、既存の債務のみならず、将来生ずべき債務の保証も包含すと解すべきだとするものがある(千葉地判大一二・三〇評論一二商九九)。この判旨の説明は後に譲る(【118】参照)。

更に最近大阪高裁判決(昭三八・一二・一八金融法務事情三六一・三)もまた、いわゆる根保証(本件では連帯保証である)の有効なることを認めた。事案は、YがX信用金庫に対し、訴外会社が、Xとの手形取引契約によりXに対し現にまたは将来負担することあるべき手形債務およびこれに対する日歩四銭の割合による遅滞損害金について元本極度額を金七〇〇万円と定め、連帯保証人となり、同時にこれを担保するため、その所有不動産につき同最高限度の根抵当権を設定した場合に関する。本件で主として問題となったのは、右抵当権の実行(任意売却)によって得た金による弁済が根保証債務額にも充当せられるか否かに集中せられており、従って、本書において此問題は後に**四**(八)の連帯保証人の債務及び責任の範囲で言及するが、とにかく、本件においては、根保証の有効なることは、これを認めており、かつ、本件では要件として主債務の性質及び発生の始期は明定せられており、かつ、最高限度額も明定せられている場合に関するのである【79】。

最後に白紙（白地）保証、ことに、手形債務に対する白紙保証について一言する。この白紙保証も連帯保証なることが多いのであるが、これらに対する所論も拙著に譲る（勝本三一八頁以下、特に三二二頁以下）。そこに関係判例も引用しておいた。

(2)　債権の移転と連帯保証債務の附従性　この点について昭和三〇年の大阪地裁の判決は、手形債権が取立委任裏書によつて被裏書人に移転したときは、手形債権に従たる連帯保証債権もまた被裏書人に移転するとし、かつ、かかる裏書譲渡は本件の如き事情の下では信託法一一条の訴訟信託の禁止に反しないと判決した（なお、この点については三の三の説明参照）。

【6】「被告Y及び同Y°が被告Y_2及び同Y_3から、それぞれ、(イ)、(ロ)の各約束手形の隠れたる取立委任裏書を受けたとの当事者間に争のない事実からして、これに附従する原告会社Xに対する被告Y_2及び同Y_3の有した(イ)、(ロ)の各約束手形債権についての従たる連帯保証債権は主たる債権である右約束手形の譲渡により、(隠れたる取立委任裏書により手形債権は信託的に被裏書人に移転するものと解する。)保証債務の附従性の当然の結果として、法律上、被告Y及び同Y_1に信託的に移転したものと解せられる。しかうして、被告等が右のような(イ)、(ロ)の約束手形の信託譲渡の手続をとつたのは、成立に争のない甲第三、四号証の各四によると、被告等は本件仮差押を申請した当時偶々大阪法務局において商業帳簿の改製の為登記事務を停止し、被告Y_2及び同Y_3の各代表者資格証明書の交付を受けることができず、これが交付を受けることができるまで荏苒日時の経過するのを待つていては、前記債権保全の機を逸する危険を招来することになるところから、この危険を脱する手段として、已むなく、被告Y_2は同社の取締役である被告Yに、被告Y_3は同社の取締役である被告Y_1に、それぞれ(イ)、(ロ)の各約束手形債務について隠れたる取立委任裏書を受け、本件各仮差押申請に及ん

だものであることが認められるから、右のような事情の下においてなした本件隠れたる取立委任裏書は本件各仮差押をなさしめることを目的としてなしたとしても、濫訴の弊害を防止することを目的として訴訟信託を禁止した信託法第一一条の精神よりして訴訟信託に該当しない。さて、(イ)、(ロ)の各約束手形の信託譲渡、したがつて右各手形に附従する連帯保証債権の信託的移転が有効である以上保証債務は附従性を有し、被保証債務の移転と同時に保証債務もまた当然に移転し特に保証債務について譲渡行為を必要としないものであるから、被保証債務の移転について対抗要件を履践することを要する外更に保証債務の移転について対抗要件を履践することを要しないものと解すべきである」(大阪地判昭三〇・一・一八下級民集六・一・一九、時報五四・一八)。

(3)　有限債務の連帯保証　　主たる債務者が有限会社、有限責任組合である等により有限責任を負うにすぎない場合に、この有限債務について連帯保証債務を成立せしめ得ることには、なんら疑問はないが、問題は、特に意思表示なき限り連帯保証債務は無限と解すべきか、また、積極的に意思表示によつて、保証債務の責任を無限たらしめ得るかは民法四四八条の適用とも関連して問題となる。次の判例は、有限責任組合の組合員が個人として組合債務について連帯保証人となつた場合に関し、その有効なることを認め、かつ、その責任は無限的のものであることを認めているが、これは組合の債務が有限なるため、それによる損失を保証するため、連帯保証債務を負担したという意思解釈によつたものと思われる。

もとより、連帯保証人の責任を特に無限とする契約をなすことは可能であり、たとえ有限責任でも債務そのものは形式上一応無限的に発生しているのであるから、これを保証する契約そのものが一応保証契約として有効に成立することは疑いない。しかしながら、現に債務が発生し、その履行の請求があるときは、連帯保証人にもその請求の効力が及び、保証人は全額弁済の義務があるのであるが、主たる債務者が有限責任を主張するときは、其限度を超えた債務は消滅するのであるから、本来、四四八条により保証人の責任も、その程度において軽減せられるのであつて、それ以上に責任を負うことは、特約の効力といわなければならぬ。この関係を有限の限度を超えた部分を主たる債務者の自然債務と認めても、やはり、保証人にも自然債務となるものというべきである。

こう考えてくると、右の場合連帯保証人の責任を特に無限ならしめることは、軽卒に推定すべきではなく、いわんや看做す的の解釈を下すべきではない。そのような解釈をとるためには、本来、四四九条の如き規定が必要とされるのである。先ず判例の云つている所を左に挙げる。上告人の所論も参考になるので摘記する。

【7】「(要旨) 有限責任組合ノ組合員カ組合ノ債務ニ付連帯保証ヲ為スハ組合員ノ責任ノ有限ト矛盾スルモノニ非ス」

「(上告論旨) 原判決ハ其ノ理由ニ於テ『仮ニ該保証カ控訴人等ノ主張スルカ如キ関係ニヨリ為サレタリトスルモ組合員ノ責任カ有限責任ナルコトト組合ノ債務ニ付連帯保証ヲ為スコトトハ前者ハ対内関係ニシテ後者ハ対外関係ナレハ何等両立シ得サルモノニアラス加之組合ノ債務ヲ弁済スヘキ組合員ハ出資義務ニ制限セラルルコトナク無限責任ヲ負フヘキモノナルコト明ナレハ該保証ノ有効ナルコト勿論ナルニヨリ控訴人等ノ右抗弁ハ孰レニスルモ採用スルニ由ナシ』ト判示シタリ右判示ニツキ上告人ノ首肯シ難キハ第一ニ組合員ノ責任カ有限責任タルコトハ対内関係ニシテ連帯保証ハ対外関係ナリトナス点ニアリ之組合員ノ出資義務ト責任観念トヲ混同シタル謬見ト謂ハサル可カラス組合員ノ責任カ有限ナリヤ否ヤハ組合ノ総財産ヲ以テ債務ノ完済ヲナス能ハサル場合ニ於テ組合員カ組合ノ債務ニツキ出資義務ニ拘ラス無限ノ責任ヲ負フヘキヤ否ヤノ対外関係タルコト保証義務ノ対外関係タルト何等異ル所ナキモノニシテ原判決カ其ノ一方ヲ以テ対内関係

トシ其ノ他方ヲ以テ対外関係トシテ上告人ノ抗弁ヲ排斥シタルハ組合員ノ責任ニ関シ法律ノ解釈ヲ誤リタル違法ヲ免レス第二ニ此両者ヲ以テ両立シ得サルモノニ非スト概論シテ本件組合ノ債務ニ対スル組合員ノ保証契約ノ本質ニ関スル具体的ノ判断ヲ閑却シタルハ最モ首肯シ得サル所トス組合員カ組合員タル資格ニ於テ必然的ニ保証義務ヲ引受クルニアラス個人タル資格ニ於テ任意ノ立場ニ在リテ組合ノ債務ニ付キ保証義務ヲ引キ受クル場合ニ於テ其ノ保証契約ノ有効タル可キハ固ヨリ論ナキ所ナリ然レトモ本件ニ於テ上告人カ保証引受ヲ無効ナリトスル所以ハ組合員カ組合員タル資格ヲ有スルカ為メ必然的ニ不可避的ニ保証人タルコトヲ強制セラレタル点ニ在ルモノニシテ其ノ然ル所以ハ本件組合設立ノ眼目ト成立ニ争ナキ乙第六号証ノ一ノ資金貸付方法ニ関スル被上告人ノ規定ニヨリ明ナル所トス元来組合員ノ責任ヲ有限ナラシムルハ組合ノ債務ニツキ（テ）ハ出資義務ヲ限度トシテ之ヲ超過スル何等ノ責任ヲ負ハシメサル趣旨ニ外ナラス然ルニ該組合ノ設立許可ヲナシ組合ノ組織ヲ知悉セルノミナラス組合ノ事業ニツキ監督ノ責任ヲ有スル（組合法第十四条）被上告人トシテ一面ニ於テ組合ノ組織ヲ有限責任トスル定款ヲ許可シナカラ組合ノ債務トシテ殆ト其ノ全部ト称ス可キ住宅資金ノ貸出ニツキ組合員全部連帯保証ヲ強要スルコトノ違法無効ナルコト固ヨリ論ヲ俟タス住宅組合法ハ住宅ヲ所有シ得サル者ヲシテ簡易ニシテ消却容易ナル住宅資金ヲ得シムル為メノ社会事業的立法タルハ云フヲ待タス然ルニ本件連帯保証ノ如キニ至リテハ組合員ヲシテ単ニ自己ノ住宅資金ノミナラス組合員全部ノ住宅資金ニ対シ消却ノ責任ヲ負ハシムルモノニシテ組合法カ社会事業的立法タル本質ヲ没却シ組合員ノ責任ヲ有限トセル本旨ニ背馳スル無効ノ契約タル可キハ当然ノ事理ト云フ可シ第三ニ原判決カ『加之組合ノ債務ヲ弁済スヘキ組合員ハ出資義務ニ制限セラルルコトナク無限責任ヲ負フヘキモノナルコト明ナレハ該保証ノ有効ナルコト勿論ナルニヨリ云々』ト判示セルニ至ツテハ本件組合カ有限責任ナルコトヲ無視シタル違法ヲ免レサルコト多言ヲ要セス之ヲ要スルニ原判決ハ以上三点ニ亘リ法律ノ解釈ヲ誤リタル違法ヲ免レスト信ス」

（理由）「（然レトモ）有限組織ノ組合ニ於テ第三者ニ対シ負担スル債務ニ付キ組合員カ連帯保証ヲ為シタル場合ニ該債務ニ付保証人トシテ連帯無限ノ責任ヲ負フニ至ルハ其ノ連帯保証契約ヲ為シタルコトニ因ルモノニシテ組合員タル資格ニ於テ之ヲ負担スルモノニ非サルニ因リ有限責任組合ノ組合員カ組合ノ債務ニ付連帯保証ヲ約スルコトハ組合員ノ責任カ有限ナルコトト何等矛盾スルコトナシ加之債権者カ組合債務ニ付組合員ヲシテ連帯保証契約ヲ為サシムル所以ハ其ノ組合カ有限組織ニシテ組合員ハ其ノ出資額ヲ限度トシテ責任ヲ負フニ止マルコトニ因ルモノナレハ組合員カ組合ノ債務ニ付連帯保証ヲ約スルコトハ之ヲ無効ト為スヘキモノニ非ス然ラハ原審カ上告論旨ニ指摘スルカ如ク組合員ノ責任カ有限責任ナルコトト組合ノ債務ニ付連帯保証ヲ為スコトトハ両立シ得サルモノニ非スト判示シテ本件保証契約ヲ有効ト為シタルハ洵ニ正当ナリ」（大判昭一三・四・五新聞四二六六・一六、彙報四九下民一九〇）。

右の大判の直後東控判は、有限責任組合たる住宅組合の債務に関する連帯保証について同じような控訴論旨について全く同趣旨の判決を下した。

【8】「有限責任組合ノ組合員カ第三者ニ対シテ負担スル組合債務ニ付連帯保証ヲ為シタル場合保証人トシテ連帯責任ヲ負フニ至ルハ其ノ連帯保証契約ヲ為シタルコトニ基因スルモノニシテ組合員タル資格ニ於テ之ヲ負担スルモノニアラサルカ故ニ、有限責任組合員カ斯カル保証契約ヲ為スコトハ組合員ノ責任カ有限ナルコトト何等矛盾スルモノニアラス、従ツテ有限責任組合ノ組合員カ其ノ組合ノ債務ニ付連帯保証ヲ為スモ無効ナリト謂フヲ得ス……」（東京控判昭一三・五・一八新報五一六・一二、大判昭一二(オ)二一九、昭一三・四・五、【7】参照）。

(4)　主たる債務につき無効原因が存する場合　主たる債務について無効原因が存在し、初めより成立しないときは、形式的に成立していた保証債務が原始的に不成立に帰する。判例としては主たる債務が民法九三条但書によって無効なる場合に、それを保証する連帯保証も原始的に無効に帰することを認めたものがある。

【9】「被告原告間ニ締結セラレタル本訴違約金契約ハ相手方ニ於テ表意者ノ真意ヲ知ルコトヲ得ベカリシ非真意ノ意思表示ニシテ民法九十三条但書ニ依リ無効ナリトス既ニ主タル違約金契約ニシテ無効タル以上ハ被告ニ於テ之レガ連帯保証ヲ為シタル本訴保証契約モ亦無効タルコト論ナシ」(千葉地判大一一・四・一新聞二〇五五・二一、評論一一民一〇〇七)。

三　連帯保証と保証連帯との差異

連帯保証は単に保証人間に連帯の特約ある場合(いわゆる保証連帯)とは異なる。保証連帯の場合には、債務者と保証人との間の関係は一般の保証と全く同一であって、従って、各保証人は催告または検索の抗弁権を有する。従って、連帯保証を為しても、当然には保証連帯をも発生せしめるものではない。この点については、既に、昭和四年の判例がある。判旨にいわく「数人カ主債務者ノ為夫々連帯保証ヲ為シタレハトテ之カ為当然ニ保証人相互間ニ於ケル連帯関係ヲ生スルモノニ非ス」(大判昭四・七・一〇評論一八民一一〇〇)と。ただし、或場合には、当事者の意思解釈上、同時に連帯保証と保証連帯とを発生せしめることもあり得る。この点につきある下級審の判例ではあるが、連帯保証の意思がある場合には、反証のない限り、保証連帯をも成立せしめる趣旨なりと解すべきものとしている(東京地判大八・一〇・二三評論九民九八四)。

二　発生原因

連帯保証は、先ず保証債務としては、債権者と保証人間の契約を必要とするが、それが連帯保証となるためには同じく連帯の特約かまたは商五一一条二項の適用を必要とする。

一　連帯保証契約

契約によつて連帯保証が発生するためには、保証契約の外に主たる債務者と連帯して保証する旨の特約が、債権者と保証人間に存することが必要である。保証人が数人存する場合においても、数人のうちの全員、または、一部が連帯保証人となるためには、それらの者と債権者間に連帯の特約が存することが必要である。

この連帯の特約は、必ずしも明示的な意思表示を必要とせず、また、保証契約が書面によつていても、連帯特約は、必ずしも書面を必要としない。しかし、実際問題として、どういう場合にかかる特約が存するものと解すべきかについては、判例は種々なる事案について判示している。

例えば、当事者は単に連帯債務といつていても、実は連帯保証を成立せしめる意なることがある。

二　発生原因

それが釈明権の行使と関連して問題となつた場合に次の如き判例がある。

（一）　連帯債務か連帯保証か――表現の問題

【10】「(判決要旨)　当事者ハ或ハ連帯保証債務者ヲ指シテ単ニ連帯債務者ト称スルコトモアルヘク殊ニ上告人ノ陳述ニ依レハ其ノ陳述ニ所謂連帯債務者トハ連帯シテ債務ヲ負担セル者ヲ指スコト明ナルモ其ノ債務カ主タル債務ナルカ将タ保証債務ナルカハ不明瞭ナルニ拘ラス原審カ此ノ点ニ付上告人ニ釈明セシムルコトナクシテ直ニ上告人ノ所謂連帯債務者ハ連帯保証債務者ニ非サルモノト解シ被上告人ハ連帯保証債務者ナルノ故ヲ以テ上告人ノ本訴請求ヲ排斥シタルハ違法ニシテ破毀ヲ免レサルモノトス」

「(判決理由)　仍テ按スルニ原審口頭弁論調書原判決事実摘示及之ニ引用セル第一審判決事実摘示ニ依レハ上告人（被控訴人原告）ハ原審ニ於テ本訴請求ノ原因トシテ上告人ハ訴外A外八名ニ対シ明治三十九年七

月二日金百円ヲ元金十円ニ付利息一ケ月金十二銭五厘弁済期同年十二月二十日ノ定ニテ貸与シ被上告人（控訴人被告）ハ其ノ連帯債務者ナル処明治四十年五月迄ノ利息及損害金ヲ支払ヒタルモ其ノ余ノ支払ヲ為ササルヲ以テ右元金及之ニ対スル明治四十年六月一日ヨリ弁済ニ至ル迄年一割五分ノ損害金ノ支払ヲ求ムル為本訴ニ及ヒタル旨陳述シタルニ過キサルコト明白ナリ然ルニ当事者ハ或ハ連帯保証債務者ヲ指シテ単ニ連帯債務者ト称スルコトモアルヘク殊ニ上告人右陳述ニ依レハ其ノ陳述ニ所謂連帯債務者トハ連帯シテ債務ヲ負担セル者ヲ指スコト明ナルモ其ノ債務カ主タル債務ナルカ将タ保証債務ナルカハ不明瞭ナルニ拘ラス原審カ此ノ点ニ付上告人ニ釈明セシムルコトナクシテ直ニ上告人ノ所謂連帯債務者ハ連帯保証債務者ニ非サルモノト解シ被上告人ハ連帯保証債務者ナルノ故ヲ以テ上告人ノ本訴請求ヲ排斥シタルハ違法ニシテ論旨理由アリ原判決ハ破毀ヲ免レス」（大判昭三・五・一一評論一七民四四一）。

一審で連帯債務の主張をし、二審で連帯保証と変更する場合　連帯保証を成立せしめる真意で、連帯債務という表現を用いたに過ぎないときは、前述の如く実際には連帯保証が成立すると認むべきであるが、本来、連帯債務と連帯保証とは、その本質を異にするものであるから、この別異なことを知りながら、第一審で連帯債務関係を主張した者が第二審で連帯保証に切り替えることは、全く別異の主張を為すものであるとの主旨の判例がある。

【11】「（理由）　連帯保証ハ取リモ直サズ保証債務ノ一態様タルニ止マリ、夫ノ連帯債務トハ固ヨリ別異ノ債務ニ属スルガ故ニ、上告人ガ第一審ニ於テハ本訴訟物ヲ以テ連帯債務ナリト主張シ居リシヲ第二審ニ至リ之ヲ連帯保証ト改メタルハ、債務ソノモノトシテハ全ク別異ノソレヲ主張スルモノ……」（大判昭五・八・一一新聞三一六一・一〇、椿・「連帯債務」総合判例研究叢書・民法(16)七頁【3】参照）。

（二）　連帯保証人として署名する必要あるか、必ずしもその必要なしとの判例。

【12】「借用証書ニ連帯保証人トシテ署名スルニ非サレハ連帯保証債務ハ成立スルニ由無シト云フ法規若クハ法理ノ存スルアレハ格別何等法定ノ形式無キニ於テ問題ハ要スルニ上告人X_1ハ果シテ上告人X_2ノ主債務ニ付連帯保証債務ヲ負担シタリヤ否ヤニアリ而モ此事ノ存否ヲ査定スル方法固ヨリ一ニシテ足ラス所論ノ如キ借用証書ニ就キテ審案スルモ一方法ナルト共ニ又原審ノ為シタル如ク各種ノ証拠ニ基キ判断ヲ下スモ亦一方法タルヲ失ハス必ス所謂借用証書ノ途ニ進出スルニ非サレハ判断ノ遺脱ナリ審理不尽理由不備ナリト云ハムトスル所論ハ其可ナル所以ヲ知ルニ苦マサルヲ得ス」（大判昭六・三・四新聞三二四六・八、評論二〇商二〇四）。

（三）　連帯保証人として署名捺印しても、法律上の連帯保証の債務を負担しない意思であることもあり得る。

左の判決は、金銭貸借証書に連帯保証人として捺印した事実があつても、他に証拠があれば、例えば主債務者の逃亡を防ぐのが目的であるような場合にはこれと異なる事実を認定することができるとなすものであつて、事案の内容及び判決理由は左の如きものである。

【13】「(理由)　上告理由第一点ハ凡ソ金銭貸借ニ付連帯保証人タルコトヲ明記シテ署名捺印スル場合ニ於テハ当事者ノ意思ハ真ニ其ノ金銭債務ノ履行ニ付連帯保証債務ヲ負担スルモノナルコト疑ヒナク此ノ意思ナクシテ此ノ如ク連署スル場合ナキコトハ世間取引上ノ通念ニシテ吾人日常ノ取引ニ於テ実験セル所ナリ然ルニ原審判決ハ其ノ理由中ニ認定セル如ク甲第一号証ノ成立ハ被上告人ノ認ムル所ニシテ同証ニハ被上告人カ連帯保証人トシテ連署セルノミナラス同証第八条末段ニハ『債務者ニ於テ履行不能ノ場合ハ連帯債務者ニ於テ其ノ責任ヲ負ヒ直チニ弁償ヲナスモノトス』ト明記シアルニ拘ラス被上告人ノ此ノ点ニ関スル抗弁ト同様ノ慣習ニアラサル単純ナル一ノ事例アリトノ証人Aノ証言及被上告人ノ内縁ノ妻タル証人Bノ証言ヲ信憑ストノ理由ノ下ニ漫然金銭債務ノ履行ニ付被上告人カ連帯保証債務ヲ負ヒタルモノニアラスト論結セルハ実

験法則ニ違背セル違法ノ裁判ナリトスト云ヒ同第二点ハ原判決ハ『甲第一号証ニ被上告人カ連帯保証人トシテ署名捺印シタルハ主債務者Aノ逃亡等ヲ防ク方法トシテ為サレタルモノニシテ』ト論断セルモ此ノ如ク被上告人カ連帯保証人トシテ連署シタルコトニ因リテ主債務者ノ逃亡等ヲ防ク方法トナルコトハ常識上考ヘ得ラレサルコトニシテ何等ノ意味ヲ為サス此ノ如キハ表示セル当事者ノ意思ヲ有意義ニ解釈スヘキ法律上解釈ノ原則ニ反スルモノナリ而シテ原判決ハ此ノ点ニ付別段ノ理由ヲ説示スル所ナクシテ断定シタルハ是レ理由ノ不備ナル違法ノ裁判ナリトス以上ノ理由アルカ故ニ原判決ノ破毀ヲ求ムル所以ナリト云フニ在リ

然レトモ金銭貸借証書ニ連帯保証人タルコトヲ記載シテ署名捺印シタルモノト雖常ニ連帯保証債務負担ノ意思ヲ以テ之ヲ為シタルモノナリト認ムルノ外無キモノニハ非ス他ニ其ノ然ラサルコトヲ認ムルニ足ル証左有ルトキハ斯カル事実ヲ認定スルニ何等妨アルコト無シ原判決モ此ノ趣旨ニ出テタルモノニ他ナラサルト共ニ其ノ引用ノ諸証拠ニ依レハ被上告人カ甲第一号証ニ署名捺印シタルハ原判示ノ如キ趣旨ニ於テセルモノニ係リ真ニ本件債務ニ付連帯保証人ト為リタルモノニ非サルコトヲ認ムルヲ得可ク其ノ間毫モ実験則違背ノ点アルヲ見ス又原判示ノ如キ趣旨ニ於テ如上証書ニ署名捺印スルカ如キコトモ有リ得ヘキ所ニ属スルカ故ニ原判決ニハ所論ノ如キ違法アリト謂フヲ得ス……」（大判昭七・二・二〇新聞三三七八・一一、彙報四三上民三六五）。

（四）　主債務者の抵当権設定を縁由とする連帯保証の効力　　主たる債務者が自己の財産上に抵当権を設定し、連帯保証人には迷惑をかけぬという約束で連帯保証をしたが、抵当権設定をしなかつた場合でも、それは契約縁由にすぎないから、連帯保証契約は有効に成立する。結論において正しいが、右の如き縁由は保証人と主たる債務者間に存するものであるから、債権者と保証人間の契約には直接関係ないと云うべきである。

【14】「（理由）　被上告人カ本件連帯保証ヲ為シタル所以ハ其ノ際甲（主債務者）カ一定日時迄ニ合計一

町一反余ノ土地ニ付上告人ニ対スル債務ノ為抵当権ヲ設定シ被上告人ニ迷惑ヲ掛ケサル旨約シタルニ因ルモノニシテ被上告人ハ之ヲ以テ本件連帯保証ヲ為ス要素ト為シ同人ニシテ当初ヨリ右甲ノ資力ニテハ右期間内ニ到底前記ノ如ク抵当権ヲ設定スルコトヲ得サリシ事情ヲ了知シタリシナランニハ本件連帯保証ヲ為ササリシモノニシテ上告人モ亦該事情ヲ熟知シ居タリトスルモ右ノ如キ事実ハ通常保証契約ノ要部ナリト認ムヘカラサルカ故ニ之ヲ同契約ノ要部ヲ成シタリトスルニハ他ニ特別ノ事情ノ存在ヲ認メ得ヘキコトヲ要スルモノトス」(大判昭四・一二・一七評論一九民五〇三)。

(五)　また、単に連帯債務という文字を用いても当事者の意思解釈上連帯保証が認められる場合もある。例えば、次の如き判例。

【15】「(理由)　訴外A・Bが連帯して被控訴人より金一千円ヲ借リ受ケ控訴人カ保証人トナリタルコトハ当事者間ニ争ヒナキ所ニシテ控訴人ハ右ハ単純ナル保証ヲ為シタルニ止マリ連帯保証ニアラスト主張スレトモ甲第一号証ニ依レハ『万一連帯者ニ於テ何等ノ事故ニ依ルモ返済相滞リ候節ハ請人ハ連帯本人ニ代リ速ニ弁済ノ義務相果シ可申候為後日連帯借用金証券如件』トアルヲ以テ請人トシテ該証ニ署名セル控訴人ハ借主タルA・Bト連帯シテ保証債務ヲ負担シタルモノト解スルヲ相当トス」(東京控判明四四・九・二二最近判九・一一〇)。

これと同趣旨のものは東京地判大八・一〇・六にも見られる。

【16】「(理由)　訴外A・B間ニ控訴人主張ノ契約アリシコトニ付テハ当事者間ニ争ヒナシ而シテ右債務ニ関シY_1・Y_2カ連帯債務ヲ負担シタルヤ連帯保証債務ヲ負担シタルヤニ付キテ按スルニ証人Cノ証言並ニ甲第一号証中万一借用人ニ於テ弁済不能ノ場合ニハ連帯人ニ於テ其責ニ任シ云々ノ文字ニ徴セハ右ハ同人等ニ於テ連帯保証ヲ為シタルモノト認ムヘク甲第一号証中ノ連帯借用証並ニ連帯人等ノ文字及此点ニ関スル証人Dノ証言ハ未タ以テ右認定ヲ覆スニ足ラス」(東京地判大八・一〇・六評論八民一三〇三)。

（六）　連帯債務者の一員が全負担部分を有する場合　数名が連帯債務者として連署していても、一人のみが全部の負担部分を有するというような場合には其他の者は実質的には連帯保証債務を負つているものと解すべき場合が多いであろう。しかし、本件の場合には、連帯債務という形式で保証の目的を達しようとする意思も尊重すべきであり、やはり連帯債務が成立するものというべきである。

【17】「（判決理由）　按スルニ他人ノ金借ニ付人的担保ヲ為ス方法（所謂判方トナル方法）ハ必シモ保証契約ヲ締結スル一途ニ限ルモノニアラス真実ノ借主ト連帯債務ヲ負担スルコトニ依リテモ亦同一ノ目的ヲ達スルヲ得ヘシ従テ借用証書ニ数人カ連帯債務者トシテ連署シタル事実アルニ於テハ仮令其ノ一人カ真ノ借主ニシテ其ノ他ハ之ヲ保証スル意図ヲ以テ連署セルコト明ナル場合ト雖之ヲ以テ直ニ他ノ者ハ連帯保証ヲ為シタルモノト認ムルヲ得ス斯ル場合ハ寧ロ他ニ特別ノ事情ヲ認ムヘキモノナキ限リ当事者ハ真実ノ借主以外ノ者ニ於テ連帯債務ヲ負担スル方法ニ依リ債権担保ノ目的ヲ達セントシタルモノト解スルヲ相当トス」（大判昭一二・一一・一法学七・二・一〇三、裁判例一一民二七五）。

（七）　金額の記載なき連帯保証証書を渡した場合　また、次の判例の事案では、連帯保証人が金額の記載なき借用証書に署名捺印して主たる債務者に渡し、この者が任意の金額を記入して債権者より金員を借受けたような場合にも、連帯保証債務が有効に成立することが認められている。

【18】「（判決要旨）　連帯保証人カ主タル債務者ノ依頼ヲ受ケ金額ノ記載ナキ借用証書ニ署名捺印シ之ヲ主タル債務者ニ手交シタルトキハ連帯保証人ハ主タル債務者ヲシテ自己ニ代リテ当該債務ヲ負担スヘキ権限ヲ与フルト共ニ右証書ニ金額ヲ記入シ之ヲ貸主ニ交付スヘキコトヲ一任シタルモノト解スルヲ相当トス

叙上ノ場合ニ於テ主タル債務者カ連帯保証人ノ承認セサリシ金額ヲ証書ニ記入シ之ヲ貸主ニ交付シタルトキハ是借主タル債務者カ代理人トシテ連帯保証人ノ為ニ其ノ権限外ノ行為ヲ為シタルモノニ外ナラスト雖此

ノ場合ニ於テモ貸主ハ主タル債務者カ該証書ニ表示セラレタル金額ニ付連帯保証人ノ為ニ当該債務ヲ負担スヘキ代理権ヲ有スルモノト思考スヘキハ当然ノ次第ナルヲ以テ特別ノ事情ノ認ムヘキモノナキ限リ貸主ハ主タル債務者ニ此ノ如キ権限アリト信スヘキ正当ノ理由ヲ有シタルモノトス

（判決理由）　原判決ノ確定シタル事実ハ訴外Aハ頼母子講ノ講員トシテ一口二百円ノ当籤金ヲ受取ルニ付被上告人ニ対シ連帯保証人タルヘキコトヲ依嘱シ被上告人ハ連帯保証人トシテ金額ノ記載ナキ借用証書ニ署名捺印シ之ヲAニ交付シタルニ同人ハ其ノ後更ニ他ノ当籤一口ヲ引受ケ二口合計四百円ヲ借用スルコトトナリ何等被上告人ノ了解ヲ経ルコトナクシテ該証書上ニ借用金額ヲ四百円ト記入シ之ヲ貸主タル上告人ニ差入レタリト謂フニ在リテ原判決ハ右事実ニ基キ直ニ果シテ然ラハ縦令甲第一号証（前顕証書）中ニ金四百円ノ記載アリトスルモ开ハ被控訴人等被上告人等ノ関知セサルトコロナレハ被控訴人等ニ於テ右四百円全部ニ付其ノ責ニ任スヘキ筋合ニアラスト判定シ以テ上告人請求ノ一半ヲ棄却シ去リタリ然レトモ連帯保証人ハ主タル債務者ヲシテ自己ニ代ハリテ当該債務ヲ負担スヘキ権限ヲ与フルト共ニ右証書ニ金額ヲ記入シ之ヲ貸主ニ交付スヘキコトヲ一任シタルモノト解スヘキヲ相当トスルヲ以テ其ノ後主タル債務者カ連帯保証人ノ承認セサリシ金額ヲ証書ニ記入シ之ヲ貸主ニ交付シタルトキハ是借主タル債務者カ代理人トシテ連帯保証人ノ為ニ其ノ権限外ノ行為ヲ為シタルモノニ外ナラスト雖此ノ場合ニ於テモ貸主ハ主タル債務者カ連帯債務者ノ署名捺印アル証書ヲ交付シタルトキハ主タル債務者カ該証書ニ表示セラレタル金額ニ付連帯保証人ノ為ニ当該債務ヲ負担スヘキ代理権ヲ有スルモノト思考スヘキハ当然ノ次第ナルヲ以テ特別ノ事情ノ認ムヘキモノナキ限リ貸主ハ主タル債務者ニ此ノ如キ権限アリト信スヘキ正当ノ理由ヲ有シタリト判断スヘキモノニシテ原判決ノ認定ニ係ル前顕事実ノミニ依リテハ未タ以テ被上告人カ本件債務四百円ノ一半ニ付其ノ責ナキ所以ヲ了得シ難キノミナラス右ノ事実ニ拠ルトキハ却テ之ト反対ノ結論ニ到達スヘキモノナルコト上来説示セ

ルトコロニ依リ明白ナリ原判決ハ理由不備ノ違法アリテ破毀ヲ免レス」（大判大正一五(オ)一一二五号(年月日不明)評論一六民五九八）。

（八）　債務者が勝手に金額を記入した場合　　前の場合とよく似ているが、もともと五十円の債務について連帯保証人となることを承諾して、其旨、借用証書に連帯保証人として債務者と連記署名しこれを債権者に交付したのであるが、金額は其時は記載されてなかった。それを債務者があとより、千五百円と記入して、債務者との間に千五百円の消費貸借を成立せしめたときは、連帯保証人の責任は、最初の五十円の範囲に止まると為す判例がある。即ち、

【19】「(判決理由)　案スルニ本件ニ於ケル主債務者タル訴外内藤事Aカ上告人ヨリ金借ヲ為スニ方リ被上告人ニ対シテハ金五十円ヲ他ヨリ借受ケ度ニ付之カ保証ヲ為シ呉レ度旨懇請シタルニ被上告人ニ於テ之ヲ承諾シ其際右訴外人ノ差出シタル金額弁済期利子等ノ記載ナキ借用証書ニ自ラ保証人トシテ署名ヲ為シ之ヲ訴外人ニ交付シ債権者ニ対シ右金五十円ノ範囲ニ於テ同訴外人ノ為メ連帯保証ヲ為スヘキ旨其ノ意思表示ノ伝達方ヲ依頼シタル処右訴外Aハ擅ニ該証書ニ借受金額ヲ一千五百円ト記入シ被上告人名下ニハ内藤ナル自己ノ印ヲ押捺シ更ニ主債務者トシテ自己ノ署名捺印ヲ為シタル上右証書ヲ上告人ニ交付シ恰モ被上告人カ金一千五百円ニ付連帯保証ヲ承諾シタル如ク申述ヘ其結果上告人ヨリ金一千五百円ノ交付ヲ受ケタル事実ハ原判決ノ確定セルトコロナルヲ以テ右認定事実ニ徴スレハ被上告人ハ尠クトモ金額五十円ノ範囲ニ於テハ主債務者タル訴外Aノ為メ連帯保証契約ヲ為スノ意思ヲ有シ其ノ表意ノ伝達方ヲ同人ニ依頼シタルコト明白ナルカ故ニ債権者タル上告人ニ於テ本件契約ヲ締結スルニ際リ特ニ金千五百円全額ニ付不可分的ニ被上告人カ連帯保証ヲ為スニ非レハ本件保証契約ヲ為ササル旨約シタリトノ主張並ニ挙証ナキ限リ本来可分債務タル本件消費貸借ノ如キニ在ツテハ右金五十円ノ範囲ニ於テ前示保証契約ハ其効力ヲ生セルモノト解スルヲ相当トスヘシ然ルニ原判決ハ右ト反対ノ解釈ニ出テ如上認定事実ノ下ニ恰モ本件保証契約ニ於ケル被上告人ノ意思ト

表示トノ間全ク其ノ一致ヲ欠ケルモノノ如ク断シ以テ上掲保証契約ノ成立ヲ否定シ因テ輙ク上告人ノ本訴請求全部ヲ排斥シタルハ失当ニシテ原判決ハ畢竟契約ノ成立ニ関スル法理ヲ誤解セルモノト謂フヘク此点ニ於テ到底破毀ヲ免レサルモノトス」(大判昭一〇・三・二裁判例九民四七)。

(九)　契約によって催告、検索の抗弁権を拋棄した場合　契約によって、単に催告及び検索の抗弁権なき保証債務を成立せしめても、これをもって直ちに、連帯保証債務を成立せしめるものと解することはできない。蓋し、連帯保証は右の二つの抗弁権を発生せしめ得ないだけでなく、連帯保証にあっては、なお、民法四三四条及び四三八条の準用を受けるからである。この点は既に次の明治三八年の大審院判例の認める所である。なお、この判例で問題となっている催告・検索の抗弁権拋棄の意思表示と認められた文言は「(甲一号証)万一期日ニ至リ本人返金致兼候節ハ本人ニ不拘保証人に於テ悉皆引受ケ弁償仕リ聊カ(モ)延滞仕間敷候云々」である。

【20】「保証人カ債権者ヨリ債務履行ノ請求ヲ受ケタルトキハ主タル債務者ニ対スル催告及其財産検索ノ抗弁ヲ提出スルコトヲ得ルハ民法第四百五十二条第四百五十三条ノ規定スル所ナレトモ該規定タルヤ是唯保証債務ノ効力ニ関スル通則ヲ定メタルニ過キサルモノニシテ当事者ノ意思ヲ以テ右二箇ノ抗弁権ヲ拋棄スルノ特約ヲ締結スルコトヲ得ルハ言ヲ俟タサルナリ但上告人ニ於テハ若シ普通ノ保証人カ斯クノ如ク右二箇ノ抗弁権ヲ拋棄スルノ特約ヲ有効ナルモノトセハ其保証人ハ民法第四百五十四条ニ所謂連帯保証人ト全然同一ナルモノニ帰着スヘク而シテ民法ハ普通ノ保証債務ト連帯保証債務トノ中間ニ前記二箇ノ抗弁権ヲ有セサル特別ナル保証債務ノ存在ヲ認ムルモノニ非スト論弁スト雖モ抑民法第四百五十四条ニ所謂連帯保証人ナルモノハ一面保証人ナルト同時ニ他ノ一面ニ於テハ連帯債務者タルノ性質ヲ有スルモノナルカ故ニ催告及検索ノ抗弁権ヲ有セサルハ勿論連帯債務ノ性質トシテ各連帯保証人ハ主タル債務者ニ拘ハラス当然全部ノ履行ヲ為サ

サル可カラス之ニ反シテ普通保証人ノ負担スル債務ハ単純ナル補充的債務ニシテ縦令催告及検索ノ抗弁ヲ拋棄シタル場合タリトモ決シテ連帯債務者タルノ効果ヲ生スルモノニ非サルナリ而テ保証人カ意思表示ヲ以テ此二箇ノ権利ヲ拋棄シ普通保証人ノ責任ニ比シ過重ナル責任ヲ負担スルコトヲ特約スルハ固ヨリ公ノ秩序ヲ害スルモノニ非スシテ法律カ此等特約ノ存在ヲ否認スルモノニ非サルハ言ヲ俟タスシテ明カナリ翻テ原判文ヲ査閲スルニ『甲第一号証中ニハ万一期日ニ至リ本人返金及兼候節ハ本人ニ不拘保証人ニ於テ悉皆引受ケ弁償仕リ聊モ延滞仕間敷候云々トアリテ右ハ主債務者カ其債務履行期限ニ至リ履行ヲ怠リタルトキハ保証人タル控訴人（上告人）ニ於テ直ニ其債務履行ノ責ニ任スヘキ特約ヲ為シタルモノト認メ得ヘキヲ以テ控訴人ハ此特約ニ拠リ普通保証人ノ有スル主債務者ニ対スル催告及其財産検索ノ抗弁ハ之ヲ拋棄シタルモノト謂ハサル可カラス』トアリ即チ原院ハ甲一号証ノ記載ニ依リ前記特約ノ事実ヲ認メタルモノニシテ此等証書ノ解釈及事実ノ認定ハ事実裁判所ノ特権ニ属シ上告ヲ以テ其当否ヲ争フコト能ハサルモノトス」（大判明三八・七・八民録一一・一一三八）。

かように、単に、催告及び検索の抗弁権を放棄しただけでは連帯保証を成立せしめないことは、学説も多く認める所であるが（例えば磯谷・五三四頁）、多少これに異なる見解と思われるものもないではない。例えばある所説によれば、可分債務の単純なる保証人が弁済期に至つて、催告及び検索の抗弁権を有せざるに至つたときは連帯債務（連帯保証）となるものとし（岡村・一六〇頁）、また他の説は、保証契約と同時に催告、検索の抗弁権を拋棄するときは、連帯保証を成立せしめると云つている（中島（弘）・一〇六頁）。

（一〇）　取締役会決議録による連帯保証　取締役会決議録に保証する旨署名捺印した場合も一種の保証契約であつて、かつ、銀行の営業のため為されたものとして連帯保証となる。

【21】「（要旨）　重役会ニ於テ不良貸出カ問題トナリ取締役カ自ラ保証スル旨言明シ之ヲ決議録ニ記載シ署名捺印シ監査役カ之ニ承認ヲシタルトキハ名ハ決議録ト題スルモ右ノ保証行為ニ関スル限リ保証契約書ナリ

トス前記大正十五年四月二十日ノ取締役会ニ於テAノ為シタル言明カ仮ニ将来保証人トナルモ宜シキ旨ヲ述ヘタル一種ノ予約ノ性質ヲ有シタルモノトスルモ其ノ後ニ作成セラレタル右甲第五号証ノ決議録ト題スル書面ニハ明ニA之ニ保証スヘキ旨ノ記載アリ之ニAカ異議ナク署名捺印シタル以上茲ニ保証契約ハ締結セラレタルモノト謂フヘク従テ右書面ノ末尾ニ同銀行ノ監査役等カAノ保証行為ニ付承認スル旨ヲ記載シタルハAカ当時同銀行ノ取締役ナリシ為念ノ為承認書ヲ付シタルモノト謂フヘク右甲第五号証ハ決議録ト題スルモ其ノ実ハ右保証行為ニ関スル限リ保証契約書ナルコト疑ナキトコロナリトス」（東京控判昭一一・九・一四新聞四〇五〇・一一）。

（一一）　信用保証協会の為す連帯保証　　信用保証協会の為す保証の要件効力は特約のないかぎり民法上の保証の規定によるべきであり、それが制度上信用の保証であつて、債務の保証ではないから、民法上の保証とは異なるという法律上の根拠はない。この点に関する同旨判決。

【22】「（判決理由）　被控訴人は信用保証協会の保証は、制度上主債務者が金融機関から貸付を受けるに際し、その信用を保証するものであり、たんなる債務の保証である民法上の保証とは性格を異にしこれらと同列に立つものではないから、信用保証協会は代位弁済した後は債権者の地位を承継して代位弁済の全額につき、主債務者に対してはもとより他の保証人に対してもその保証債務の履行を請求できるものであると主張する。しかし信用保証協会のA銀行に対する本件保証は、信用保証協会法（昭和二八年八月一〇日法律第一九六号同日施行）により被控訴協会が設立される以前の契約で、当時右協会は民法第三四条の規定により設立された社団法人であつたから、その業務内容である保証料を得てする他人の債務の保証が、制度上民法の保証と要件、効力を異にする別個のものとは解されないのみならず、信用保証協会法施行後においても同法においては、信用保証協会制度の設立の目的につき同法第一条に、『この法律は、中小企業者等が銀行その他の金融機関から貸付等を受けるについてその貸付金等の債務を保証することを主たる業務とする信用保証

協会の制度を確立し、もつて中小企業者等に対する金融の円滑化を図ることを目的とする。』旨規定し、さらに信用保証協会の業務内容につき同法第二〇条に、『中小企業者等が銀行その他の金融機関から資金の貸付、手形の割引又は給付を受けること等により金融機関に対して負担する債務の保証』等を規定しているにとどまり、『債務の保証』の内容については特段の規定を設けていないのであるから、その要件及び効力についでは特約のないかぎり当然民法上の保証の規定によるべく、それが制度上信用の保証であつて債務の保証ではないから、民法上の保証とは異なるという法律上の根拠はない」(札幌高判昭三七・六・一二高裁民集一五・四・二八九)。

(一二)　連帯保証が成立するための合理性　　連帯保証契約が成立するためには、主たる債務の存在、其他債権者を保護するに必要なる事由が存することを要する。次の事例は、無意義な連帯保証契約の成立を否定したものである。然しながら果して無意義であるか否かは当事者の真意の探求を必要とする。

【23】「(理由)　消費貸借ニ対スル連帯保証ノ如キ債務ヲ負担スルカ為ニハ其ノ之ヲ負担セサル可カラサル事情アルヲ一般ノ事例トシ唯無意義ニ或競売期日ノ延期セラルルコトヲ条件トシテ之カ責ニ任スルカ如キコトハ通常之ヲ考ヘ得サル所ニ属ス」(大判昭八・一〇・三〇裁判例七・二五四)。

(一三)　漁業組合の為す連帯保証　　判例は漁業組合も有効なる連帯保証人となり得ることを認めている。この点については、相当議論の存する所であり、結論としては、認められるとしてもその効力については後述する所の如く、種々な問題が含まれ、精細なる分析が要求せられる。詳細は後述に譲る。

【24】「(要旨)　漁業組合カ他人ノ為ニ連帯保証ヲ為スハ漁業組合令第二十条第一項第六号ニ該当スルモ

ノトス（漁業組合令二〇条一項は、「本令ニ別ニ規定アルモノノ外左ニ掲クル事項ハ組合員総会ノ決議ヲ経ヘシ」と規定し、その六号には「負債ヲ起スコト」とあり、漁業組合の業務として連帯保証も為し得ると為したものである「筆者記」）（大判昭九・三・三〇民集一三・四〇〇）。

二　商法上発生する連帯保証（商五一一条二項の場合）

商五一一条一項によれば、「数人カ其一人又ハ全員ノ為メニ商法行為タル行為ニ因リテ債務ヲ負担シタルトキハ其債務ハ各自連帯シテ之ヲ負担ス」と云い、第二項に「保証人アル場合ニ於テ債務カ主タル債務者ノ商行為ニ因リテ生シタルトキ又ハ保証カ商行為ナルトキハ債務者及ヒ保証人カ各別ノ行為ヲ以テ債務ヲ負担シタルトキト雖モ其債務ハ各自連帯シテ之ヲ負担ス」と規定している。

従つて、右第二項の要件に合する場合には、保証は連帯保証となるのである。素より、この規定は反対の合意を為すことを妨げるものではないが、商法上は、大体において、連帯保証が原則となるのである。

商五一一条は、商法が、特に、或場合に、同一のまたは共通の原因によつて発生した債務について連帯関係を認めている規定（商八〇・一九二ないし一九五・二六六・二六六ノ三、五七九等）と同様に、債務の履行を確保し、取引の安全を保護することを目的とするものであるが、その第一項は数人の者が、その一人または全員のために、商行為たる行為によつて債務を負担したときは、各自連帯してこれを負担するという一般原則を認めたものである。これは、民法四二七条の分割分担主義の例外を為すものである。これと並んで商法五一一条二項は商事債務を保証した場合または保証が商事債務である場合に、連帯保証が発生することを認めた。かように、第一項の外に第二項を設けたことも同一の立法趣旨によつたのであるが、特に第二項を必要としたことは、第一項は、債務が共同の行為によつて生じた場合であることを要すると一応解せられ、これに反し、保証は本来、保証人と債権者間の契約によつて発生し、むしろ、主たる債務者と債権者間の債権発生原因(特に法律行為)とは異なる別個の法律行為によつて発生するものであるから、念のため特に規定したものと考える。

商法五一一条二項によつて、連帯保証が発生する要件としては、次の二つの要件の何れかが具備することを要する。

(一)　債務が主たる債務者の商行為によつて生じたこと　主たる債務者の商行為によつて生ずるとは、主たる債務者の行為が絶対的商行為、例えば、手形行為によつて発生した債務でもよい。従つて、この場合には、主たる債務者が商人でないこともあり得る。その行為が債権者の商行為によつて生じたことは必要でなく、また、債権者の商行為でさえあるならば、それだけで足りるというわけではない。法律は、債務者の商行為が存在することを要求しているのである(同旨、大判昭三・三・二四新聞二八七三・一三、彙報三九下民二五七)。しかして、次の判例は、銀行の負担する債務は商行為と推定せられ、これに対する保証につき、連帯保証の成立を認めた。当然である。

【25】「被告ハ其保証債務ノ履行ニ付催告並ニ検索ノ抗弁ヲ提出スト雖元来本件ニ於テ主タル債務者株式会社A銀行ノ為シタル契約ハ其営業ノ為メニ為サレタルモノト推定スヘクシテ之ニ対シ何等反証ノ見ルヘキモノナク而シテ商人カ其営業ノ為メニスル行為ハ商行為ニ外ナラサルカ故ニ本件契約上ノ債務ハ主タル債務

者ノ商行為ニ因リテ生シタル債務ニシテ従テ商法第二七三条第二項（現行五一一条二項）ニ依リ保証人タル被告ハ右ノ如キ抗弁ヲ為ス権利ヲ有セサルハ明ナレハ被告ハ之ニ依リ其債務ノ履行ヲ拒ムコトヲ得サルモノト謂フヘシ」（東京地判大八・二・四評論七商九〇一）。

また、主たる債務者が洋服商にして、営業品買入のため負担した債務の如きは、もちろん商行為に因るものであり、その保証人は債務者と連帯して責任を負うことも当然である。

【26】「（要旨）　主たる債務者が洋服商にして債務が其営業品買入れの為負担せるものなるときは其保証人たる者は主たる債務者と連帯債務を負担したるものとす」（東京控判大五・一〇・二八新聞一二〇三・二三、同旨、東京地判大五・八・三新聞一一八六・二一）。

しかして、商行為に因りて生じた債務を保証する者は、他に保証人あると否とに関せず、債務者と連帯して責任を負う。

【27】「（要旨）　商行為に因り生じたる債務を保証したる者は他に保証人あると否とに拘らず主たる債務者と連帯して其責に任ずべきものとす（商二七三条、現行商五一一条）」（東京控判大六・六・二八新聞一三〇四・二五）。

なお、自己の信用を利用させる意味で約束手形の共同振出人となつた事実に基づき、連帯保証債務負担の意思を推認できるかにつき注目すべき判例がある。

【28】「上告論旨（第三点）は結論として被上告人がAと共に乙第一号証約束手形の共同振出人となつてAをしてこれを第三者に交付して金融を受けさせることを許諾したことは、その原因関係として『Aが第三者より貸金債務を負担するについて連帯保証することを被上告人において許容し、且つAをして被上告人に代つて第三者にその旨の意思表示をなさしめた』ものと推認すべきである。かかる解釈は振出人たる被上告人と、受取人にして真実Aに金融を与えた上告人の間においては当然認められるべき原因関係であつて、なる

ほど証拠によると上告人は小松に手形を割引いてやつたとか述べ、Aは被上告人に手形を貸してくれといつたなど述べているが、それは手形行為の表面上のことを述べているに過ぎず（手形割引といつても手形売買の意味でないことはいう迄もない。）、その意味は原審において証人が述べている如く『Aが主人（被上告人）に、六十万円借りたいので保証人になつてくれ、四、五日したら支払いをするのでお宅には絶対迷惑はかけないというものですから、主人と私の相談の上Bに六十万円の手形を貸してやつた』のが原因関係の真実を述べているものである。尤も原因関係と手形行為の牽連性を切断して手形上の権利行使には応じるがそれ以外原因関係の債務を負わないとの意思表示をなすことは勿論有効であろう。然しそれは特別の場合であつて、そのような特約があることを要する。……これと見解を同じくする判例として大審院昭和十一年七月八日民事四部（昭和十一年(オ)第九〇号）判決、同昭和十二年八月七日民事三部（昭和十一年(オ)第一八五九号）判決がある。これと反対の大審院昭和十二年七月八日民事一部（昭和十一年（オ）第二四一二号）判決は本件の如き事案に適切でない。果して然らば原判決は右判例に違背し、法律上の推定に反して、立証責任分配の原則を誤つたもの、即ち法令の違背あることは明白である」（と主張する。）

（理由）　然し乍ら「被上告人が、訴外Aにおいて他から金融を受けるについて自己の信用を利用させる意味で所論約束手形につき同訴外人と共同振出人となつた事実があるからといつて、右手形関係とは別に同訴外人の金員借受債務につき連帯保証債務を負担すべきことを諾約し、且つその意思を自己に代つて表示する権限を同訴外人に与えたものと推認しなければならぬものではない。論旨引用の大審院判例は本件に適切でない」（最判昭三五・九・九民集一四・二二一四、判批、川添・判解民三五・一〇四、小橋・民商四四・四）。

なお、商業使用人に関する身元保証契約は商行為となるか。次の判例は運送店の帳場掛のために為した身元保証契約は商行為でないと判示している。

【29】「運送店の帳場掛の事務は運送依頼の申込を受け貨物の有無を調査し之を発送し若し貨物引換証を

発行すべきものある時は之れを発行掛へ報告する等の事務を掌る者とす身元保証人の保証契約は商行為にあらず故に身元保証人の義務は連帯にあらず可分なりとす」(宮城控判明四三・六・八新聞六六七・一五、最近判七・八八)。

(二)　保証が商行為によつて発生したこと　保証が商行為によつて発生するとは保証が保証人にとつて商行為であることを意味すると解する説もあるが(例えば、大隅・商行為法(現代法学全書)三八―三九頁)、一般には広く解し、保証が債権者にとつて商行為である場合でもよいとする。

前説は、債務が債務者にとつて商行為たる行為によつて生じた場合においてのみ連帯をみとめるという第一項の規定との権衡及び商取引保護の立法趣旨を理由とするものであるが、第一項は、むしろ債務が共同または少なくとも共通の行為によつて発生したことを理由とするものであり、これに反し、保証は、理論的には主たる債務の発生と関係なく別個の行為によつて発生するものであるから、少なくとも、主たる債務の発生と共に、同時に保証を為す場合には、其保証自体は保証人にとつて商行為でなくても、債権者にとつて商行為である以上、保証が商行為によつて発生したものであるという要件を充足させるものと考える。

判例は、むしろ後説(保証人、債権者の何れかにとつて商行為であればよい)を採り、五一一条二項にいわゆる「保証カ商行為ナルトキ」とは保証が債権者にとつて商行為性を有する場合も含むと解し、合資会社に対し身元保証を負担した場合には右保証債務は連帯であるとしているのである(同旨、東京控判大八・一〇・六新聞一六三二・一六)。なお次の判例は身元保証債務に商法五一一条二項を直ちに適用したものである。

【30】「商法第二百七十三条(現行五一一条)第二項ニ所謂保証カ商行為(ナルトキ)トハ保証カ保証人ニ取リ商行為タルノミナラス債権者ニ取リ商行為性ヲ有スル場合ヲモ包含スルモノト解スルヲ相当トス然リ而

シテ原審ノ確定スル所ニ依レハ上告会社Xハ生魚ノ卸売業ヲ営ム合資会社ニシテ昭和十一年五月一日訴外Aヲ雇入レ同年六月上旬ニ至リ被上告人両名ヲシテAノ身元保証人タラシメタルカ同年十月二十一日Aハ上告会社代表者X'ヨリ取引銀行ヘノ預金ヲ命セラレ現金九千七百三十二円四十銭ヲ交付セラレタルヲ奇貨トシ其ノ儘之ヲ携帯逃走シ上告会社ニ対シ右金額ニ相当スル損害ヲ蒙ラシメタリト謂フニ在ルヲ以テAハ上告会社ニ対シ之カ弁償ノ義務アルヤ勿論ナリ而シテ被上告人等カ右Aノ為上告会社ト身元保証契約ヲ為シタルコト右判示ノ如クナル以上該保証行為ハ之ヲ商行為ト目スヘク従ッテ各被上告人ハ別段ノ意思表示ナキ限リ主債務者Aト連帯シテ前掲Aノ上告会社ニ加ヘタル損害ニ付之カ賠償ノ責ニ任スヘキモノト断セサルヲ得ス然ルニ原審ハ被上告人両名ノ上告会社ニ対シ負担セル右保証債務カ叙上ノ如キ連帯責任ナルコトヲ看過シ其ノ範囲ハ全部責任ニアラサルモノト解シタルハ前記法条ノ解釈ヲ誤リタルモノニシテ論旨ハ結局理由アリ」(大判昭一四・一二・二七民集一八・一六八一)。

以上、(一)、(二)の場合においては、連帯関係は、主たる債務者と保証人との間に発生するに止まらず、保証人が数人ある場合には、保証人間に分別の利益は発生せず、保証人相互の間においても連帯が発生する。而して、保証人相互に連帯が発生することは、五一一条一項の準用(同一の法律行為でなくとも共通の法律行為なればよい)によって然るのである。判例・学説は当然のこととしているが、条文解釈としては粗笨のようである。

次の判例も本条(旧商二七三)の規定は数人の保証人ある場合に於て債務が主たる債務者の商行為に因りて生じたるとき、または、保証自体が商行為なるときは、各保証人をして主たる債務者と連帯すると同時に、保証人相互の間にも連帯して債務を負担せしむる趣旨を包含するものとすと判示している。

【31】「商法第二百七十三条(現行商五一一条)第一項ハ債務者ノミニテ二人以上ノ場合同第二項ハ債務者

ト保証人ヲ合シテ二人以上ノ場合ニ関スル規定タルコトハ勿論同第二項ニハ単ニ『保証人アル場合ニ於テハ云々』トアリテ保証人ノ一人ナル場合ノミト限ラサルカ故ニ数人アル場合ヲモ包含セルモノト為スヘキハ当然ナリ随ツテ『保証人アル場合ニ於テ債務カ主タル債務者ノ商行為ニ因リテ生シタルトキ又ハ保証カ商行為ナルトキハ主タル債務者及ヒ保証人カ各別ノ行為ヲ以テ債務ヲ負担シタルトキト雖モ其債務ハ各自連帯シテ之ヲ負担ス』トノ規定ハ数人ノ保証人アル場合ニ於テ債務カ主タル債務者ノ商行為ニ因リテ生シタルトキ又ハ保証自体カ商行為ナルトキハ各保証人ヲシテ主タル債務者ト連帯スルト同時ニ保証人相互ノ間ニモ連帯シテ債務ヲ負担セシムルノ趣旨ヲ含ムモノトス」(大判明四四・五・二三民録一七・三二〇、民抄四一・九三八一)。

二 発生原因

なお、商法五一一条二項に「主タル債務者及ヒ保証人カ各別ノ行為ヲ以テ債務ヲ負担シタルトキト雖モ」といっているのは、本来、保証と主たる債務とは別異に発生するものであるので、これは贅言であるという見方もあるが(大隅・商行為法三九頁)、第一項は債務が同一の、または少なくとも共通の行為によって発生した場合であるので、保証においても、主たる債務を発生せしめる契約と同一の契約によって、同時に保証契約が成立する場合(一般には、主たる債務と右保証人何某と同一書面に併記せられている)にのみ連帯保証が成立するのではないかという疑いが生ずるので、特に保証契約が主債務の発生契約とは関係なく、後発的にまたは同時的に別異な契約によって発生する場合にも連帯保証が成立することを明記したものと解すべきである。

なお、商事債務に付連帯保証と単純保証とが競合する場合に、単純保証が商五一一条二項(旧商二七三II)の適用を排除するものなりや否やは当事者の意思解釈に依つて定まる。この点に関する判例次の如し。

【32】「(判決理由) 商事債務ノ保証人カ分別ノ利益ヲ享有セサルハ商法第二百七十三条第二項ノ適用ヲ受クル結果ニシテ分別ノ利益ヲ受クル合意ナキ為ニハアラス故ニ当事者ノ意思カ右商法ノ規定ノ適用ヲ排除

スルニアルトキハ縦令分別ノ利益ヲ保有スル合意ナシトスルモ猶且分別ノ利益ヲ享受スルモノト謂ハサルヘカラス而シテ本件ニ於ケル如ク競合セル数個ノ保証ニ付当事者カ連帯保証タルモノト単純保証タルモノトヲ区別シテ単純保証ノ契約ヲ為シタル場合ニハ果シテ右商法ノ規定ノ適用ヲ排除スル当事者ノ意思ナリヤ否ハ未タ不明ニ属スルモノト為ササルヲ得ス然ルニ原審カ上告人ノ本件単純保証ニ付分別ノ利益ヲ保有スルノ合意ヲ認ムヘキ証拠ナキノ故ヲ以テ当事者双方ノ意思ヲ深ク探求セス又特約ノ有無ヲ審査セスシテ輙ク右商法ノ規定ヲ排除スル意思ニアラサルモノト認定シタルハ早計ニ失スルモノニシテ此ノ点ニ於テ審理不尽ニ非スンハ理由不備ノ違法アルヲ免レサルモノトス」（大判昭一三・三・一六民集一七・四二三、判批、兼子(賛)判民昭和一三年度・一〇三頁評釈）。

三　手形法上発生する保証（手形保証）

手形保証は要式行為であり、本来、契約によつて生ずるものであるか否かにも疑問があり、その効力も一般の連帯保証と比較し多少問題があり得る。本書においては特殊連帯保証として後に特に説明しておいた（五、二・一四五頁参照）。

三　効　　力

一　原　　則

(1)　連帯的効力　債権者が連帯保証人に対して有する権利は、連帯債務者に対する権利と同様である。これに対し、連帯保証人は普通の保証におけるごとく、債権者の請求に対し、催告の抗弁権及び検索の抗弁権をもつて対抗し得ない(民四五四)。

(2)　附従性に基づく効力　既に述べたように、連帯保証も、その本質は保証に他ならぬのであるから、主たる債務に対し従属的な関係を失わない。連帯的特徴は、単に保証の方法たるものに過ぎない。従つて、主たる債務者について債権者との間に発生した事項は、連帯保証人に影響があるが、連帯保証人と債権者との間に発生した事項は、弁済以外には、主たる債務者に及ばないのが原則である。従つて、主たる債務の無効または取消によつて、連帯保証債務もまた消滅に帰するのであつて、連帯債務に関する民四三三条(「連帯債務者ノ一人ニ付キ法律行為ノ無効又ハ取消ノ原因存スルタメ他ノ債務者ノ債務ノ効力ヲ妨クルコトナシ」)は適用せられない。また、連帯保証人は、一般の保証人と同じ範囲において、主たる債務者の有する抗弁権を行使し得る。また、連帯保証人の債務の範囲についても、民四四七条の適用を受ける。即ち、連帯保証債務は、主たる債務とその内容及び限度を同じくし、また主たる債務の元本・利息・違約金・損害賠償その他主たる債務に従たるものを包含する(民四四七I)。

二　主たる債務者または連帯保証人について生じた事項が他方に及ぼす効力

民法四五八条は、連帯債務に関する四三四条ないし四四〇条を適用すと規定している。然しながら既に述べたように、連帯保証は連帯といつても、本質上は保証の一種であるから、連帯債務に関する規定を適用すといつても準用する意味であるといわなければならない。次に、右の連帯債務の規定が準用せられるとしても、保証債務本来の性質上、当然発生すべき効力は否定できないし（大判昭五・一〇・三一民集九・一〇二〇、東京地判昭八・三・九新報三二〇・二六、大判昭一三・二・四民集一七・八七は四三九条は適用なしとす）、また、連帯と同一の効力を生ずる範囲においては、とくに連帯債務の規定を準用する必要を見ない。従つて、民法四五八条の適用については場合を分けて考えることを必要とし、主債務者について生じた事項については、専ら、附従性の結果、連帯保証人にもその効力が及ぶべきであるから、四五八条の適用の必要なく、連帯保証人について生じた事項が主債務者に及ぼす効力についての四三四条ないし四四〇条の準用が問題となる。しかし、これらの規定のうち負担部分の存在を前提とするものは、原則として準用なく、その結果、準用の必要があるのは四三四条（履行の請求）と四三八条（混同）であるというのが、殆んど通説である。しかし、この点については後に詳述する如く異説があり、また立法上の批判がある。

（一）主たる債務者について生じた事項の効力　前述のごとく、この点は連帯保証債務の附従性により、主債務について生じた事項は、原則として連帯保証人に効力を及ぼすのであつて、一般の保証に関すると同様な結果となる。故に、特に連帯保証にのみ特有な効力というものはない。従つて、理論上から云えば、この問題は一般の保証理論に譲つていいわけであるが、冒頭の理由により、事案が連帯保証に関する限り、この点についても言及することにした。

(1)　主たる債務消滅の効力　前述のごとく、連帯保証も、保証債務の一種として主たる債務に対し附従性を失わない。従つて、主たる債務が消滅するときは連帯保証債務も消滅する。この理論を判例は、次のように、時効の完成、契約解除、免除、主債務の無効・取消その他の場合に認めている。

（その一）　時効の完成による主債務の消滅　時効の完成によつて主たる債務が消滅するときは、連帯保証債務も消滅する。

これは、連帯保証の保証債務としての附従性からそうなるのであるが、次の判例は、四三九条をも準用して、結局同一結果に達している。

【33】「連帯保証債務に付きては其効力を決するに当り連帯債務者の一人の為めに時効が完成したる場合に関する民法第四百三十九条の規定に従ふことを要するは勿論なりと雖も、連帯保証債務に於ける負担部分は反証なき限り其債務者が全部にして連帯保証人に皆無なりと認むるを相当とすべきを以て同債務者たる被控訴人の債務に付き時効の完成したること説示の如き本件に於ては連帯保証人の債務も亦消滅すべきこと明白なるのみならず、連帯保証債務と雖も従属的の債務たる性質上主債務の消滅に依り当然消滅することは普通の保証債務も択ぶところなきが故に此の者より云ふも亦本件保証債務は消滅に帰したるものと謂ふを得べし」（東京控判大八・一〇・六評論八民一〇一七、新聞一六三一・一七）。

本判決は前述のごとく民法四三九条によつて、連帯保証人の債務の消滅を認めているようであるが、後段においては、連帯保証債務を保証債務の一種として、同様の結論を認めている点に理論上不徹底な所があるが、とにかく理論上は直接に、保証債務の本質よりその結論を導くべきである（民四四六・四四八参照）。

その後、昭和七年の大審院判例は連帯保証人が時効の利益を抛棄した場合にも、なお主たる債務者につき生じたる時効の効力を援用し得る事を明らかにするに至つた。ただし、判例が主たる債務者が時効の利益を抛棄せざる限りといつていることは注意を要する。本件では、連帯保証人が時効の利益を抛棄している場合であるが、主たる債務者が抛棄しても、なお保証人は時効の利益を主張し得るのである。後述（(2)その三）参照。

【34】「（判決理由）按スルニ保証人カ主タル債務者ト連帯シテ債務ヲ負担シタルトキト雖尚保証債務タル性質ヲ失ハサルモノニシテ而モ保証人アル債務ニ付消滅時効完成シタルトキハ主タル債務ノ消滅ニ伴ヒ之ニ従タル保証債務モ亦当然消滅スルモノナレハ保証人ハ時効ヲ援用スルニ付直接ノ利益ヲ有シ民法第百四十五条ニ所謂当事者トシテ自ラ時効ヲ援用シ得ルモノナルト同時ニ（大正三年(オ)第五九七号大正四年十二月十一日本院判決参照）保証人カ自己ニ対スル債権ノ消滅時効完成後其ノ利益ヲ抛棄シタル事実アリトスルモ主タル債務者ニ於テ時効ノ利益ヲ抛棄セサル限リ保証人ハ前記説明ノ如ク自ラ主タル債務ニ付完成シタル時効ヲ援用シテ債権者ノ請求ヲ拒ムコトヲ得ルモノトス蓋保証債務ハ主タル債務ニ従属シテノミ存在シ得ヘク従テ主タル債務ノ消滅後独立シテ存続スルコトヲ得サルモノナレハナリ」（大判昭七・一二・二新聞三四九九・一四、評論二二民六九、彙報四四上民二一五）。

また、主たる債務について時効が完成したときは、連帯保証債務も消滅するが、時効完成以前に、債権者が連帯保証人に対し債権を有し、連帯保証人の反対債権と相殺適状にあるときは、主たる債務の時効完成後と雖も、債権者は連帯保証人に対し相殺を主張し得るのである。

【35】「債権者ヨリ連帯保証人ニ対スル債権ト連帯保証人ノ有スル反対債権トカ相殺適状ニ達シタル以上爾後主タル債務者ニ対スル債権カ消滅時効ニ罹リタルトキト雖債権者ハ相殺ヲ為スコトヲ妨ケサルモノトス」（大判昭八・一・三一民集一二・八三）。

（その二）　契約解除による主債務の消滅　　主たる債務が契約の解除によって消滅した場合につき次の判例は石材売買契約の不履行により、売主（被上告人）が売買契約を解除して、損害賠償を請求した事件に関するものであるが、この事案においては、上告人買主と共に連帯保証人となった者（三名）が主たる債務者買主（上告人）に対する契約解除によって、義務を免れるか否かが問題となったのである。左にこの点に関する判旨を掲げる。

【36】「上告理由ハ本件ハ（石材売買契約）契約ヲ（買主タル）上告人カ履行セサルヨリ一タヒ其履行ヲ催告シ猶ホ履行セサルヲ以テ全ク其契約ヲ解除シタリトテ其解除ニ基ク損害要償ナルコトハ原判決事実ノ摘示並ニ訴状請求ノ原因ニ明記シアル所ナリ而シテ其催告ト云ヒ解除ト云フ皆被上告人カ上告人Xニ対シテ為シタルモノニシテ連帯保証人タル上告人X_1、X_2、X_3ニ対シテ為シタルニ非サルコトハ前掲書類ニ明白ナル所ナリ民法ヲ按スルニ第四百五十七条ニ於テハ主タル債務者ニ対スル履行ノ請求其他時効ノ中断ハ保証人ニ対シテモ其効力ヲ生スレトモ其他ノ事項ニ付テハ効力ヲ生セサルコトヲ規定シ第四百五十八条ニハ主タル債務者カ保証人ト連帯シテ債務ヲ負担スル場合ニ於テハ第四百三十四条乃至第四百四十条ノ規定ヲ適用スル旨而シテ其第四百四十条ニハ其前ノ六条ニ掲ケタル事項以外ニ在テハ連帯債務者ノ一人ニ付キ生シタル事項ハ他ノ債務者ニ対シテ其効力ヲ生セサル旨規定セリ是ニ由テ観レハ民法第四百四十七条ハ契約上ノ利息、違約金並ニ当然生スル損害賠償ヲ包含スルモノニシテ契約ノ解除ノ如キ場合迄モ包含スルモノニ非サルコト明ナリサレハ本件ニ於テ被上告人カ上告人Xニ対シテ為シタル契約ノ解除ハ同人ニ対シテハ其効力ヲ生シタルモノト仮定スルモ他ノ何等ノ催告モ何等ノ解除通知モ受ケサル上告人X_1外二名ニ対シテハ其効力ヲ生シタルモノニ非サレハ是等ノ者ハ被上告人ヨリ本訴契約解除ニ基ク損害賠償ノ請求ヲ受クルノ義務ナキモノナリ然ルニ原院ハ上告人ノ第六抗弁ニ対シテ『特ニ保証債務ノ範囲ヲ限定セサル保証人ハ云々玆ニ所謂損害賠償ト称スル

ハ履行ニ代ル性質ノ損害賠償ナルト将タ契約ヲ解除シタル後ノ損害賠償タルトヲ問ハス云々損害ヲ賠償スヘキ義務アルコト論ヲ俟タス故ニ右保証人タル被控訴人等三名ニ本訴損害賠償負担ノ義務ナシトノ抗弁モ其理由ナシ』ト判示シ保証人タル上告人X_1外二名モ亦主タル債務者X同様ノ義務アルモノト判決シタルハ違法ナリト云フニ在リ

然レトモ保証契約ハ主タル契約ノ履行ヲ確保スル為メノ従タル契約ニシテ主タル契約ト運命ヲ同フスヘキ性質ノモノナレハ主タル契約カ解除セラルヽ以上ハ従テ解除ニ帰スヘキハ理ノ当然ナルヘシ而シテ保証人カ主タル債務者ト連帯シテ債務ヲ負担スルモ尚ホ従タル債務者ナル点ニ於テ差異アルコトナシ抑本訴石材ノ売買ハ上告人Xト被上告人等ノ間ニ締結セラレ上告人$X_1$$X_2$同$X_3$ノ先代AハXノ為メニ連帯保証人トナリタルモノニテ上告人Xハ売買契約ノ主タル債務者ナレハ被上告人等カXニ対シテ契約解除ノ意思表示ヲ為シタル以上ハ其契約ハ解除セラレタルモノト謂ハサル可カラス而シテ本訴損害賠償ノ請求ハ主債務者ノ契約不履行ニ由ル契約解除ヲ原因トスルモノナレハ保証人ハ別ニ解除ノ通知其他何等ノ催告ヲ受クルコトナク当然其責ニ任セサルヲ得ス故ニ被上告人等ハ其解除ヲ以テ同人等ニ対抗スルヲ得ルヤ亦明カニシテ本論旨ハ其理由ナシ」（大判明四〇・七・二民録一三・七三五、民抄録三一・七〇六一）。

右の判例は、債務不履行を原因とする契約解除の効力について、連帯保証債務の附従性により、主たる債務が消滅すると共に、連帯保証人の責任も消滅すると為すものであり、上告理由は民法四五八条によつて四四〇条の適用を認め解除の相対効を主張したものであつて、上告理由が連帯保証人の責任につき連帯債務と同視し、連帯保証債務の附従性を無視したことは誤りであるが（連帯保証人に対しては契約を解除し得ない）、従来、不履行に因る契約解除につき、わが国の判例は、民法五四五条三項の解釈として、契約を解除しても債権者は履行に代る損害賠償を請求し得るという態度をとつているので、この点から云えば、民四

四七条によつて、連帯保証人の責任を主張し得ると思われる。上告人は現に四四七条に言及しているのであるが、右の点は主張していないので、結局、判例の云うような結果となつたのである。

私見は、古くから、民法五四五条三項の損害賠償は、履行に代る損害賠償を意味するのでないという見解をとつている（ドイツ民法でも債権者は契約解除か履行に代る損害賠償かを選び得るとしている）。従つて、契約解除をすれば、本来の債務は無くなり、債務者も反対給付の権利を失い、双方とも現状が回復され、債権債務が無くなるのであるから、連帯保証人の責任も無くなるのは当然であると解するのである。判例が前示のような判旨を示したことは、契約解除について私見のような効力を認めた結果であると解するのは、あまりに我田引水的の牽強附会であるということになるであろうか。

主たる債務が、債権者（または、債務者）の任意または両者の合意によつて、解除せられた場合においても、連帯保証が消滅する点については、理論を異にしない。

次の判例は、債権者が主債務者に対し任意解除の意思表示をなした場合に関する。しかし、実際には不履行を理由とするものであつて、解除者が連帯保証人に不履行による損害賠償を請求せんとした事案である。

元来、任意解除というものは、当初、当事者が合意によつて一方の当事者または双方に解除権を留保した場合に、発生するのが普通である。契約が成立したあとで、一方の当事者が相手方の同意を得て解除する場合は、実質的には、合意解除である。この場合には、解除の効力もまた合意によつて定まるのであるが、この点の合意なきときは、法定解除が原則として適用せられるにすぎない。一方の不履行が発生してからも、契約解除は、なお任意的(留保解除権の行使)にまた合意的に行なわれることは不可能でない。また、法定解除の効力も原則として当事者間の契約で変更し得る。

【37】（判決要旨）「債権者カ主タル債務者ニ対シ履行期間中任意ニ契約ヲ解除スルニ於テハ該債務者ト連帯シテ債務ヲ負担シタル保証人ノ債務モ亦当然消滅スルモノトス」

（判決理由摘記）「上告理由第二点ハ本件ニ於テ上告人（原告ニシテ控訴人）ニ於テ被上告人ニ訴求スル原因ハ上告人トAトノ間ニ売買貸借契約ヲ為シタルニAハ山林買入ノ困難ナルヨリ契約ヲ履行スルコト能ハサル旨申込ミタルニ付契約履行ノ催告ヲ為サスシテ直チニ契約ヲ解除シ（履行ノ請求ヲ為ササルコトヲ意味ス）テ不履行ノ損害賠償権ヲ留保シ置キAト連帯シタル保証人ナル被上告人ニ損害賠償ヲ請求スト云ヒ即チ被上告人ニ対シ連帯保証ノ義務ヲ原因トシテ訴求シタルコトハ訴状並ニ控訴状及ヒ法廷調書ニ依リ明白ナリ然ルニ原院ハ判決理由ニ於テ『（上略）到底本訴契約ノ解除ハ保証人タル被控訴人ニ対抗シ得ヘキモノニアラス果シテ然レハ右契約解除ヨリ生スル損害ノ賠償ヲ求ムル本訴請求ノ不当ナルコト論ナキナリ』ト説明シ恰モ上告人カ契約解除ヲ原因トシテ損害賠償ヲ求ムルカ如ク認メラレタルハ訴旨ニ副ハサル不法ノ判決ナリトス蓋シ契約ノ債権者ハ債務者ニ対シ債務ノ履行ヲ求ムルヲ得ヘク又履行ヲ求メスシテ不履行ニ因ル損害賠償ヲ求メ得ヘキモノニシテ前者ノ請求ハ契約ヲ解除シタル場合ニ之ヲ為スヲ得ヘカラサルモ後者ノ請求ハ契約ヲ解除シタル場合ト之ヲ解除セサル場合トニ何等関係ナキモノタルコト論ヲ待タス従テ契約ヲ解除シタルヲ原因トシテ損害賠償ヲ求ムルカ如キコトハ法律上無意義ニシテ上告人カ如斯キ原因ヲ以テ訴求シタル如キコトナキヤ亦タ自明ノ事理ニ属ス要スルニ原判決ハ上告人ノ訴旨ニ副ハサル判決ヲ為シタル不法ヲ免レスト云フニ在リ依テ按スルニ上告人ハ第一審以来甲第一号証契約ノ主タル債務者Aカ該契約履行期限ニ於テ到底履行不能ノ状態ニ在リシカ故ニ履行期限前ナリシモ損害賠償要求ノ権利ヲ留保シテ合意上該契約ヲ解除シ該

契約ノ連帯保証人タル被上告人ニ対シ本訴損害金賠償ノ請求ヲ為ス旨主張シタルコト第一審第二審ノ法廷調書ニ徴シテ明白ナリ故ニ原院ニ於テ甲第一号証ノ契約解除ヨリ生スル損害ノ賠償ヲ求ムル本訴請求ノ不当ナルコト論ナキナリト判示シタルハ用語稍穏当ナラサルモ甲第一号証ノ契約カ履行不能ノ状態ニ在リシコトヲ否定シ十分履行ノ余地アリシニモ拘ラス上告人ト主タル債務者Aト合意上任意ニ該契約ヲ解除シタル事実ヲ認定シ既ニ上告人ニ於テ任意ニ該契約ヲ解除シタル以上ハ該契約ノ保証人タル被上告人ニ対シ本訴請求ヲ為スハ不当ナリトシ上告人ノ請求ヲ排斥シタル趣旨ナルコト原判文ノ全趣旨ニ徴シテ明カナルヲ以テ原判決ハ所論ノ如キ不法アルモノトスルヲ得ス上告理由第三点ハ原判決理由ニ『(上略)其契約ノ解除ハ独リ控訴人(上告人)トAトノ合意ニ基クモノニシテAカ義務履行ヲ遅延シタリト認ムヘキ場合ニ為シタル解除ニアラサレハ右契約ノ解除ハ保証人タル被控訴人ニ対抗スルコトヲ得ヘキモノニアラス(中略)果シテ然ラハ右契約解除ヨリ生スル損害ノ賠償ヲ求ムル本訴請求ノ不当ナルコト論ナキナリ』ト説明セラルルモ被上告人ハAト連帯シタル保証人ナリトシテ本訴請求ヲ為シタルモノナルコト前第二点ニ弁明スルカ如シ而シテ原院ニ於テAト上告人トノ間ニ於ケル解除ノ合意ハ之ヲ以テ被上告人ニ影響セサルモノトセラルル以上ハ被上告人ハ依然トシテ解除ナキ状態ニアルモノナレハ履行ノ義務及不履行ニ於ケル賠償義務ヲ免脱セラルヘキモノニ非ス故ニ本件出訴カ其契約履行期限ニ在リタレハトテ原院ニ於テ判決セラルルノ時既ニ履行期限ヲ経過シアルトキハ損害賠償ノ責ヲ免ルヘカラサルハ当然ナルニ漫然本訴請求ノ不当ナルコトハ論ナキナリト説明セラレタルハ理由ノ明晰ヲ欠ク不法アルト共ニ法則ヲ適用セサル違法ヲ免レスト云ヒ第四点ハ原判決理由ニ『(上略)然ルニ控訴人(上告人)ハ本訴ノ売買契約履行期限数月前ニ於テ単ニ主タル債務者タルAノ承諾ヲ得テ催告等ノ手続ヲ省キ契約ヲ解除シタリト云フヲ以テ其契約ノ解除ハ独リ控訴人(上告人)トAトノ合意ニ基ツクモノニシテAカ義務履行ヲ遅延シタリト認ムヘキ場合ニ非レハ右契約ノ解除ハ保証人タル被控訴人(被上告人)ニ対抗スルコトヲ得ヘキモノニアラス(中略)果シテ然レハ右契約解除ヨリ生スル損害ノ賠償ヲ求

ムル本訴請求ノ不当ナルコト論ナキナリ』ト説明セラレタリト雖モ本訴ハ被上告人カ訴外Aノ材木売渡及ヒ貸金弁済義務履行ノ連帯保証債務ヲ負ヒタルニ基キ訴求シタルコトハ訴状其他法廷調書ニ依リ明白ナリ而シテ保証人カ主タル債務者ト連帯シタル場合ニハ民法第四百五十八条ノ規定ニ依リ同法第四百四十条ノ規定ヲ適用セラルヘキヲ以テ同法第四百三十四条乃至第四百三十九条ノ場合ヲ除ク外主タル債務者ニ関スル特別事項ハ毫モ被上告人ニ其効力ヲ及ホスモノニ非ス而シテ本件ニ所謂解除ハ債務不履行ニ因ル単独的解除権ノ行使ニ非ス又固ヨリ債務ノ免除ニ非ルコトハ原判決事実控訴人（上告人）ノ陳述中ニ『Aハ山林買入ノ困難ナルヨリ契約ヲ履行スル能ハサル旨申込ミタルニ付控訴人ハ契約履行ノ催告ヲ為サスシテ契約ヲ解除シ且其損害金ハ弁済ヲ受クル権利アルコトノ承諾ヲ受ケタルニ付云云』トアリテ被上告人ニ於テ之ヲ争ヒタル形迹ナク而シテ原院ニ於テモ前掲ノ如ク上告人陳述ノミニ依リ解除ノ意義ヲ定メラレタルニ依リ之ヲ知リ得ヘシ故ニ此ノ如キ特別ノ解除契約ハ以テ主タル債務者ト連帯シタル保証人即被上告人ニ何等ノ効力ヲ及ホササルモノナルニ原院ニ於テ其効力ヲ及ホシ保証債務ノ履行ヲ求メ得ヘカラサルモノトシタルハ法則ヲ適用セサル不法アリトスト云フニ在リ○依テ按スルニ保証人ハ主タル債務者其債務ヲ履行セサル場合ニ於テ其履行ヲ為ス責ニ任スル者ニ過キサルコトハ民法第四百四十六条ノ規定スル所ナリ而シテ主タル債務者ト連帯シテ債務ヲ負担シタル保証人ト雖モ亦一ノ保証人タルコトヲ失ハサルカ故ニ連帯債務者ト同一視スルコトヲ得サルハ多言ヲ要セサル所ナリ然リ而シテ債権者カ主タル債務者ニ対シ履行期間中ニ在リテ任意ニ契約ヲ解除スルニ於テハ主タル債務者カ契約ニ依リ負担シタル債務ヲ消滅セシムルカ故ニ主タル債務者ト連帯シテ債務ヲ負担シタル保証人ノ債務モ亦当然消滅スルハ言ヲ待タサル所ナリ故ニ原院ニ於テ甲第一号証契約ノ債権者タル上告人カ其履行期限ニ於テ十分履行ノ余地アリシニモ拘ラス主タル債務者Aニ対シ任意ニ該契約ヲ解除シタル事実ヲ認メ既ニ主タル債務者ニ対シ任意ニ契約ヲ解除シタル以上ハ其保証人タル被上告人ニ対シテ本訴損害賠償ヲ請求スルハ不当ナリト判定シタルハ結局其当ヲ得タルモノニシテ所論ノ如キ不法アルモノト

スルヲ得ス」（大判明四一・二・二八民録一四・一一六二、民抄録三三・七四三九）。

なお、大判明四三・一一・二六（民録一六・八一七）も主債務の任意解除により保証債務の消滅を認めている。

（その三）　主たる債務が免除せられた場合　主たる債務の免除については、民法施行後数年後に発生した事件で、債務の一部免除に関するものを挙げねばならない。本件の判決要旨は「民四三七条に所謂連帯債務者の負担部分は債務に付き各債務者の利益を受けたる割合に応し又は債務者間の合意に依りて定まるへきものとす」というのであつて、一見連帯保証そのものとは関係がないようであるが、本件の内容はまさしく連帯保証に関するものであり、判定の重点は、債権者が主債務の一部を免除した場合に連帯保証人にいかなる効力が発生するかという点に存するのである。この点に関する本件判決は、主債務が免除を受けた部分について、数人の連帯保証人も、その責任を免れるというにあり、むしろ当然の結果を認めたものであるが、注意すべきは、判決はこの結論を保証債務の附従性から説明せず、むしろ民法四三七条を適用して認めている点である。かつ、この点に関する限りにおいては、本件上告人が連帯保証の附従性を強調している態度が正しいのであるが、もう一つ注意すべきは（この点は連帯保証とは直接関係がないことであるが）、前掲判決要旨が、連帯債務における負担部分は各債務者の利益を受けたる割合に応じ、または、債務者間の合意に依つて定まるとしている点である。元来、負担部分については、債務者相互間の内部関係におけるものと債権者対債務者との対外関係におけるものとを混同してはならないのであり、民法でいつている負担部分は後者であつて、この対外関係における負担部分は、債権者がその内容に関連している場合、例えば債権者が甲連帯債務者に千円を貸し、乙連帯債務者に五百円を貸し、便宜上、甲乙が連帯して千五百円の連帯債務を負つたという場合には、甲の負担部分は千円、乙の負担部分は五百円であるが、甲乙が連帯で千五百円を借受け、甲乙協議の上、甲乙間で甲が八百円、乙が七百円という負担部分の割合をきめても、甲がこの契約に関与していない以上、債権者は特約なければ、甲乙間の負担部分は平等なりとして取扱つていいわけである。右判旨で、債権者の同意なく、債務者間できめた負担部分が、債権者をも拘束するように云つているのには賛成できない。ただ、本件の場合には一債務者（実は主債務者）が債務の一部免除を受けた場合に、他の連帯債務者もその範囲において責任を免れると為すものであつて、負担部分の割合は問題となつていないのであるから、右の要旨は、本件に関する限り妥当なる表示とは云えないのである。

この判決は、前述の如く連帯保証債務の保証債務としての附従性（民四四八）を軽視し、四五八条に拘泥し四三七条を適用しているのである。しかし、判例が連帯債務の基調に傾いたことには多少同情すべきものがある。というのは、本件が連帯保証債務と解せらるるに至つた証拠（甲一号証）の文言である。

その甲一号証は左の如きものである。

「一金三十円也借主A受人$X_1X_2X_3X_4X_5$ニ係ル一百五十円ノ元利及訴訟費用共五名ノ承諾ヲ得分担ヲ以テ右金額ニテ貴殿一名ノ義務ヲ解放シ云々」

とあり、債権者（被上告人）は主債務者の債務を三十円だけ免除したのだから、その残額はX_1〜X_5に請求できると主張し、X_1等は主債務の義務は三十円の対価によつて全部消滅し（其全部を釈放し）、従つてX_1等もその責任を免れると主張したのであるが、控訴審では乙一号証なるものを引用し、「主たる債務の弁済期後は上告人等は主たる債務者の位置に立つ」と為し、かつ、本件は甲一号証は負担部分のみの免除を認めたものと解したのであり、本判決はその考え方を是認したものである。ことに大審院の本判決がその終りの方で「民法四五四条ニ明定スル如ク保証人カ主タル債務者ト連帯シテ債務ヲ負担スルトキハ其保証人タルヤ債権者ニ対スル連帯関係ニ於テハ全然主タル債務者ト同一ノ地位ニ立ツモノニシテ上告人ノ所謂保証ナル名義ノ無意味ニ帰スルコトハ法律ノ規定上当然ノ結果ナリ」といっていることは行き過ぎの非難を免れない。

ともあれ、本件は乙一号証なるものを見てみなければ明言できないが、実質的には、連帯保証というよりも、重畳的債務引受が存する場合であるかも知れない。そうとすると、そこにはまた重大なる効果の差があり得るわけである。何はともあれ、本件は（新）民法施行（明三一・七・一六）後間もない明治三五年の（弁済引受）契約に基づくものであり、旧民法では保証は債権担保編中、いわゆる対人担保（第一章）中に規定せられ、そこには、「債務者ト連帯シタル保証」という表現は、旧民法債権担保編四三条にあらわれているが、現行民法のような、やや詳しい規定はなく、保証債務における主たる債務に対する免除の効力は、旧民法債権担保編四六条に規定せられ、専ら旧民法財産編五〇六条に依ることとなっており、その五〇六条では「連帯債務者ノ一人ニ為シタル債務ノ免除ハ他ノ債務者ヲシテ其債務ヲ免レシム」とあるにすぎず、現行民法四三七条の如く債務者の負担部分についてのみ他の債務者の利益のためにも其効力を生ずとの細かい規定がない。これらのことと合わせて考えて見ると、本判決における当事者双方の云い分及び判例の態度にも多少うなずけるものがあると思われる。これらのことを念頭に入れて、多少冗長だが本件判例の全貌を左に掲げる。

【38】「上告理由第一点ハ原院判文ノ趣旨ヲ綜合スレハ原院は第一、乙第一号証ニ於ケル上告人X_1等カ本件百七十円ノ債務ニ対シ最初保証人タリシコトヲ認定シ第二、其保証債務ハ弁済期日ニ至リ借主同様主タル連帯債務者ノ地位ニ立チタルモノナリト認メ第三、甲第一号証ノ三十円弁済ハ即チ主タル連帯債務者中ノ訴外A一人ノ負担部分ノミヲ免除シタルモノニシテ其余ノ金額ハ依然トシテ上告人X_1等ノ連帯債務ノ負担部分ナレハ被上告人Y（債権者）ノ連帯請求ニ対シ異議ヲ主張スルヲ得スト判決セラレタルモノヽ如シ抑々債権者カ連帯債務者中ノ特定人ニ対シ之ヲ免除シ其残留部分ヲ覊束スルニ依然タル連帯債務ヲ以テシ得ルヤ否ニ関シテハ各国ノ立法例素ヨリ区々タリト雖モ我民法ハ其第四百三十七条ヲ以テ其効果ヲ規定セリ同条ニ所謂負担部分ト指定セルハ連帯債務者団体ノ内容ニ於ケル主観的ノ現象即チ事実上ノ負担部分ニシテ其計算ハ即チ連帯債務者間内容ノ事実ニ因テ定マルモノニシテ爰ニ百円ノ主タル連帯債務者十人アリト仮定シ其負担部分ハ常ニ必ス其平均分頭十円ナリトノ断定ハ之ヲ下スコトヲ得サルモノニシテ（債権設定証書等ニ因リ債権者ニ対シ予メ連帯債務者各自ノ負担額ヲ一定シアル場合ハ格別）其負担部分ノ有無多少ハ連帯債務者間内容ニ於テ定マル所ニ従ハサルヘカラス而シテ本件上告人X_1等ノ債務ハ原院ノ認ムル如ク仮令其弁済期日後ハ上告人X_1等ハ主タル債務者ノ位置ニ立チタリトスルモ其債務者間内容ノ負担部分タルヤ依然トシテ（乙第一号証ニ明記スルカ如ク）訴外人Aノ負担債務ニシテ最初ヨリ上告人X_1等各自負担ノ部分ノ毫モ量定セラレタルモノニ非スシテ寧ロ負担部分ハ皆無ナリトス若シ強テ其負担部分ヲ推定セントセハ勢債務者間ノ内容即チ保証債務ノ性質ニ立チ入リ仮リニAノ負担部分全体ニ就キ同人ヲ除キテ更ニ上告人X_1等各自ニ分頭平均ニ負担スヘキ部分ヲ定メン乎其根本タルAノ負担部分ハ已業ニ被上告人Yニ於テ甲第一号証ノ如ク金三十円ヲ以テ其全部ヲ釈放セルモノナレハ上告人X_1等ノ負担部分未タ生セサル以前ニ在テ其債務ノ根本既ニ消滅セル（民法第四百三十七条ノ解釈上）ヲ如何セン特ニ本件ハ前記債務消滅後被上告人ハ特ニ其事実ヲ秘シ甲第一号証ハ

明治三十五年四月三日附ナルニモ拘ハラス同年七月一日ニ至リ百五十円全額（甲一号証ノ金額ヲ差引カス）ニ対シ甲第二号証ノ如ク強制執行シテ請求金額ヲ徴収セシモノタルコトハ原院ノ引用セル第一審判決事実摘示ノ判文中被上告人ノ申立ニ於テ明瞭ナルニモ拘ハラス原院ハ主タル連帯債務者ノ位置ニ立ツ時ハ毫モ内容各己ノ負担如何ヲ問ハスシテ生殺与奪ノ権一ニ債権者ニ存在セル如ク判定セルハ不法ノ判決タルヲ免カレスト云フニ在リ

民法第四百三十七条ニ所謂連帯債務者ノ負担部分ハ債務ニ付各債務者ノ利益ヲ受ケタル割合ニ応シ或ハ債務者間ノ合意ニ依テ定マルヘキモノナリ而シテ原判決ニ認定シタル事実ニ依レハ本件ハA一人ノ債務ニ付上告人等カ連帯シテ主タル債務者ト同一ノ責任ヲ負担シタルモノナルニ依リ本件ノ債務ニ付利益ヲ受ケタルモノハA一人ナレハ此場合ニ於テ債権者ナル被上告人YカAニ対シ本件債務ノ全額ヲ無制限ニ免除シタルトキハ上告人等モ共ニ其責ヲ免ルヘキ筋合ナレトモ被上告人カAニ対シテ免除シタルハ債務者間ノ合意ヲ以テAノ負担分トシタル三十円ノミナレハ民法第四百三十七条ノ法意ニ従ヒ被上告人ノAニ対スル債務ノ免除ニ付連帯責任者タル上告人等ニ免除ノ効力ヲ有スルハAカ免除ヲ受ケタル金額ニ止マルヘキナリ故ニ原裁判所カ被上告人ニ於テAニ対シ債務ノ一部ヲ免除シタルモ上告人カ原裁判所ニ於テ主張セシ如ク上告人等カ係争債務ノ全額ニ対スル責任ヲ免ルヽ理由ト為スヲ得スト判断シタルハ相当ニシテ上告論旨ハ理由ナシ

第二点ハ原院ハ甲第一号証（一金三十円也借主A受人X_1、X_2、X_3、X_4、X_5ニ係ル一百五十円ノ元利及訴訟費用共五名ノ承諾ヲ得分担ヲ以テ右金額ニテ貴殿一人ノ義務ヲ解放シ云々トアル）ヲ以テ一ニAノ負担部分ヲ免除スルニアルコト明瞭ナリト一言シ去レリト雖モ上告人等ハ素ヨリ之ヲ承諾セサルヲ以テ本訴ヲ提起シタルモノニシテ即チ甲一号証三十円ノ金額カAノ負担部分ニ非スト主張セル事ハ第一点論旨ノ如シ果シテ然ラハ原院タルモノ宜シクAノ負担カ斯三十円ニ相当スルヤ否其根本ノ理由特ニ算数上即チ百五十円ノ元利訴訟入費等ニ対シ其三十円カ如何ナル計算ヲ以テAノ負担部分ト認ムヘキヤノ点ニ対シ明確ニ判決スヘキモノナルニ拘ハラス漫然一ニAノ負担部分ノミヲ免除スルニアルコト明瞭ナリト判示セシヲ以テ其Aノ負担部分ハ果シテ三十円ノミニ止リ之ヲ免除セシモノナルヤ将タ百五十円ノ元利及訴訟入費ヲ加ヘタル負担部分中特ニ三十円ヲ以テ之ヲ免除セルモノナルヤ理由全ク不分明ニ帰セリ之レ裁判ニ対スル理由ヲ付セス若クハ争点ニ対スル理由ノ究メテ不充分タルコトヲ免レスト云フニ在リ

然レトモ被上告人カAニ対シテ係争債務ノ一部ヲ免除シタル事項ハ上告人等ニ於テ本件全部ノ債務ヲ免レタル理由トシテ提出シタル抗弁ニシテAノ負担部分如何ハ争点ニアラス従テ上告人ハ原裁判所ニ於テ特ニ其負担額ニ付争ヒタル事跡ナキヲ以テ原判決ニ其負担部分ノ如何ナル計算ニ依テ定マリタルヤ之ヲ判断セサリシハ違法ニアラス

上告追加理由ハ原判決ハ乙第一号証ヲ以テ『被控訴人X_1等ハ元来Aノ保証人ト為リタルモ弁済期限ニ至リ当然主タル債務者ノ地位ニ移リ』云々ト解釈シ上告人カ之ヲ以テ連帯保証人ノ特約ナリト為ス主張ヲ排斥シタルモ元来保証債務ナルモノハ主タル債務者カ義務不履行ノ時始メテ其責ニ任スルモノナルヲ以テ原院ノ如クAニ於テ義務ヲ履行セサル時ハ当然主タル債務者ノ地位ニ移ルモノトセハ其以前ニ於テ如何ナル責任ノ地位ニ立ツモノナルヤ殆ント解釈ス可カサルノミナラス特ニ保証人ト記載シタル文辞ヲ無意義ニ没了スルハ解釈法ノ原則ニ違反シタル不法アリ加之本件ノ如キ要物契約タル消費貸借ニ於テハ民法第五百八十八条ノ外ハ当事者ノ合意ノミニ依テ成立スヘキモノニ非ラサレハ本件ノ如ク既存ノ債務ノ存在スルコトナク又物ノ授受ナキニ係ハラス上告人等ヲ以テ保証人ノ地位ヲ脱シテ直チニ主タル債務者ノ地位ニ立ツモノトシタル原判決ハ不法ナリト云フニ在リ

然レトモ民法第四百五十四条ニ明定スル如ク保証人カ主タル債務者ト連帯シテ債務ヲ負担スルトキハ其保証人タルヤ債権者ニ対スル連帯関係ニ於テハ全然主タル債務者ト同一ノ地位ニ立ツモノニシテ上告人ノ所謂保証ナル名義ノ無意味ニ帰スルコトハ（傍点筆者）法律ノ規定上当然ノ結果ナリ而シテ原判決ハ乙第一号証

ヲ以テ上告人等ハ保証人トシテ主タル債務者ト連帯シテ其債務ヲ負担シタル約旨ナリト解釈シタルモノナレハ其解釈ノ当否ハ之ヲ論争シテ上告ノ理由ト為スヲ得ス又上告人等ハ保証関係ニ依リ債務ヲ負担シタルモノナルコト原判決ニ認定セシ如クナレハ要物契約云々ノ上告論旨ハ固ヨリ其理由ナク原判決ハ適法ニシテ上告人所論ノ如キ違法アルコトナシトス」(大判明三七・二・一民録一〇・六五、民抄録二〇・三八七一)。

なお、次の控訴審の判例は連帯保証において、主たる債務が免除されたときは、連帯保証債務も当然に(保証債務の附従性による意味と解せられる)消滅することを認めたものであるが、主たる債務が免除されたと認定し得る事実について判断している。本来、事実の認定は控訴審の判決にしかあらわれないので、本書においては主として大審院、最高裁の判例を主として取扱っている関係上、この種の事実認定の事案に触れることが少ないので特に左に掲げる。事案は、訴外Aという芸者が、その父Bと共に連帯して被控訴人Yより金を借りて、Y方にて芸妓稼業を営むについて、右借金につきA・Bのため連帯保証人となりたる控訴人X等は、YがAの債務を免除したる事実ありとして、連帯保証債務が消滅したりとして、Yの請求に抗弁した事件である。

【39】「……然るに、右債務(Yに対するA・Bの消費貸借上の債務、いわゆる前借金)は、其後弁済せられたりとするに足る確証なきに因り進んで被控訴人に於て之を免除したりや否やを案ずるに証人Cの一、二審に於ける供述に依れば若しAにして被控訴人の指図に従い五ケ年間被控訴人方にて芸妓稼業をなすときは被控訴人の右債務は当然消滅に帰す可く之に反して若しAにして中途廃業するときは被控訴人は其債権の完全なる弁済を要求し得べき特約ありたる事、並にAは被控訴人の兄たるDと私通し其情交は極めて深くAが被控訴人方にて芸妓稼業を為すことと為りたる当時よりDはAを落籍する事を計画し居りたる有様にし

て、Aの伯父たる控訴人に於てもAが被控訴人方に赴くは親類同様の家に赴くものなりとて喜び得るが如き関係なりし事を認め得可く、当審証人Fの供述に依ればAは大正元年十二月三日より被控訴人方にて芸妓稼業を為したる事明にして、又甲第三号証に依ればAは大正二年四月十九日該稼業を廃業したりしが被控訴人も亦同日従来為し居りたる芸妓稼業を廃業したりし事を認定し得可く、尚ほ一審証人Eの供述に依ればAは其後Dと同居したりしがDは大正四年一月五日死亡せしに被控訴人は其忌明けの当日Aに対し既にDにして死亡せし以上は最早要なき身なれば親許に帰り他へ嫁す可き旨を告げ親許へ帰らしめたる事明白なり、依て此等の事実を綜合して考察するに被控訴人は大正二年四月十九日Aが芸妓稼業の廃業を為す事に同意し以て暗黙に同人が負担せし甲第二号証の公正証書に記載しある債務を免除する意思を表示したる事を認むるに十分なり然れども同号証に依ればAは単独の債務者に非ずしてBと共に連帯債務者と為り控訴人は右両名の連帯保証人と為りたる事明白なるが故に（控訴人は単に甲第二号証の公正証書に形式上署名捺印したるに止まり保証債務を負担したるものなりとの控訴代理人の主張に付ては之を認むるに足る証拠なきが故に該主張は之を排斥す）Aに対して債務免除の意思表示ありたりとて直に控訴人の負担せる保証債務も亦全然消滅に帰したるものと云ふを得ざるは多弁を要せざる所なるに因り、進んでBの負担せる債務も亦消滅したるや否やを審査するに乙第一号証の公正証書に依ればBはAの実父なるのみならず明治四十四年八月五日即ち同号証の公正証書作成の当時親権を行ひたることを認め得べきに依り、此事実と右Eの証言とを対照して考覈するに前段認定の如くDの死亡後Aが被控訴人の命に依り親許に帰りたるは則ちB方に帰りたるに外ならざるを認定するを得可し、依て該事実及Aに対して債務免除の意思表示ありたる事実を認定する基本と為したる前掲各事実を更に綜合して考覈すれば被控訴人がAをしてB方に帰らしめたるは則ちBに対し暗黙に同人の負担せる前記債務を免除する意思を表示したるものなること明白なりとす、果して然らば主たる債務者たるB及Aの債務は免除に因り消滅したるが故に其保証人たる控訴人の債務も亦当然消滅に帰したる事論を俟たさる所なり」（大阪控判大五・九・一六新聞一一七三・二七）。

（その四）　主たる債務につき法律行為の無効原因存し、または、主債務が取消されたとき　これらの場合にも、保証債務は消滅に帰するのである。ただし、取消については、民法四四九条の無能力による取消に関する特則がある。次の判例の事案もまた未成年者の取消権に関するものであるが、この点には言及せられていない。なお、四四九条はその内容に不合理なものが多く、判例でも同条の推定は軽々しく行なわるべきでなく、むしろ、同条の適用については債権者、連帯保証人間に明確な合意を必要としているが、更に進んではかかる合意を妥当ならしめる事情が存することを要するものと解せられる。

なお、この判例では附従性によつて問題を解決し、民四五八条の適用を排斥しているが、いずれにしても四三三条の準用なきことは云う迄もない。

【40】「上告理由(第七点)　ハ原判決ニ於テハ『被控訴人ニ於テAハ本件消費貸借ニ付之レカ連帯保証ヲ為シタルモノナルヲ以テ民法第四百五十八条第四百四十条ノ規定ニ従ヒ控訴人Xノ為メニ生シタル事項ニ依リ自己ノ責任ヲ免カルルコトヲ得サル旨主張スレトモ右第四百五十八条ニハ主タル債務者カ保証人ト連帯シテ債務ヲ負担スル場合云云トアリテ保証人カ主タル債務者ト連帯シテ債務ヲ負担シタル場合ニ主タル債務者カ保証人ニ関スル事項ニ依リテ影響ヲ受クヘキコトヲ定メタルモノニシテ主タル債務者ニ関スル事項カ保証人ニ及ホス影響ニ付テハ同条ノ関スル所ニアラス然リ而シテ元来保証債務ナルモノハ主タル債務ノ履行ヲ確保スル従タル契約ニシテ主タル債務ノ契約ト其運命ヲ同フスヘキ性質ノモノナリトス而シテ保証人カ主タル債務者ト連帯シテ債務ヲ負担スルモ尚ホ従タル債務者タル点ニ於テ普通ノ保証債務ト敢テ差異アルモノニアラ

サルニヨリ主タル債務ニシテ取消サレタル以上ハ従タル債務者タル保証人モ亦当然其責ヲ免カルルコトヲ得ヘキモノナルヲ以テ被控訴人ノ主張ハ採用セス』ト判断セラレタルハ不法ナリ其理由ハ民法第四百五十八条ニハ主タル債務者カ保証人ト連帯シテ債務ヲ負担スル場合云云ト規定シアリテ保証人カ主タル債務者ト連帯シテ云云ト定メアラサルコトハ原判決説明ノ如クナリト雖モ右ハ文字ノ用例上敢テ特別ノ意義ヲ有セシメタルニ非スシテ該法則上ハ主タル債務者ト保証人ト連帯ナル場合ニ於テ其雙方ニ適用セラルヘキ規定ナリト解セサル可カラス蓋シ債務者ト保証人ト連帯ナル場合ニ於テハ其債権者トノ関係ニ付テハ通常ノ連帯債務ト何等相異ナルコトナキカ故連帯債務者ノ一人ト債権者トノ関係ニ於ケル民法第四百三十四条乃至第四百四十条ノ規定ヲ適用スヘキコトヲ規定シタルニ外ナラス然ルニ若シ之レヲ除外シ唯主タル債務者カ保証人ニ関スル事項ニ依リ影響ヲ受クヘキコトノミヲ定メタリト解スル時ハ其規定ノ多クハ殆ント無用ニ属スヘク而シテ連帯ヲ約シタル保証人ニシテ該条ノ規定ヲ適用セラレサル時ハ其連帯ハ全ク効力ヲ生セサルニ至ルヘシ即チ此点ニ関スル原院ノ判断モ亦法則ノ解釈ヲ誤リ不当ニ之レヲ本件ニ適用セサリシ違法アリト思料ス（参照岡松参太郎氏著民法理由債権編第一九八丁）ト云フニ在リ

然レトモ保証債務ハ主タル債務ノ履行ヲ確保スル為メノ従タルコト勿論ニシテ保証人カ主タル債務者ト連帯シテ債務ヲ負担スルモ尚ホ其従タル債務者タル点ニ於テ更ニ変ル所ナシ故ニ主タル債務ノ取消サレタルトキハ従タル債務者ノ連帯保証人モ其責ヲ免カルルハ当然ニシテ民法第四百五十八条ハ本件ノ場合ニ於テ適用アルヘキニ非サルコト原院判示ノ如クナレハ本論旨モ理由ナシ」（大判明四三・一一・二六民録一六・八一七、民抄録二九・九〇七二）。

次の判例もまた主たる債務が取消された場合に民四五八条を適用せず、保証の附従性により連帯保証人の責任が消滅することを認めたものであるが、取消原因が前掲判例と同じく無能力を原因とするものであるため、民四四九条に言及している点に特に注意を要する。即ち、この判決では、保証契約の際保証人が取消の原因を知つていた事実がないということ及び主たる債務取消の場合に、独立の債務を負担する意思ありと認むるを得ないということを理由として民四四九条を適用しない理由としている。

【41】「(要旨) 保証人が主たる債務者と連帯して債務を負担するも主たる債務にして取消されたる以上は従たる債務者たる保証人も亦当然其の責を免るることを得べきものとす

(理由) 控訴人に対する被控訴人の請求につき審案するに控訴人は本件消費貸借に付き之れが連帯保証となりたることは認めて異議なき所なりと雖も主たる債務者たる控訴人の債務が前記の如き取消により無効に帰したる以上は控訴人Xに於ても亦た其債務を履行するの義務なきことは論を俟たさる所なりとす被控訴人に於て控訴人Xは控訴人X_1とは近親の間柄なるにより主たる債務者の行為は前記の如く取消し得べき瑕疵あるものなることを知りて之れが連帯保証をなしたるものなるにより主たる債務の取消されたるにも拘はらず独立して之れが履行の責に任ずべきものなりと主張すれども同人は控訴人X_1の先代と四親等の姻家に係ることは被控訴人の争はざる所なるを以て控訴人Bとは素より民法上の親族関係あるにあらざるにより斯くの如き地位にあるものは他に特別なる事情の存在せざる以上は直に主たる債務の取消し得べき事実を了知し而も取消ありたる場合に独立したる債務を負担するの意思を以て之れが保証債務を約したるものと認むるを得ざるにより該主張は援用せず、被控訴人に於てXは本件消費貸借に付き之れが連帯保証をなしたるものなるを以て民法第四百五十八条第四百四十条の規定に従ひ控訴人X_1の為めに生じたる事項により自己の責任を免ることを得ざる旨主張すれども右第四百五十八条には『主たる債務者が保証人と連帯して債務を負担する場合云云』とありて保証人が主たる債務者と連帯して債務を負担したる場合に主たる債務者が保証人に関する事項により影響を受くべきことを定めたるものにして主たる債務者に関する所にあらず然り而して元来保証債務なるものは主たる債務の履行を確保する為めの従たる契約にして主たる債務の契約と共運命を同ふすへき性質のものなりとす而して保証人か主たる債務者と連帯して債務を負担するも尙従たる債務者たる点に於て普通の保証債務と敢て差異あるものにあらさるにより主たる債務にして取消されたる以上は従たる債務者たる保証人も亦た当然其責を免るることを得へきものなるを以て被控訴人の主張は採用せす」(東京控判明四三・七・七新聞六六一・一一)。

また、次の事案は未成年者が債務の承認を取消した場合にその効力が連帯保証人に及ぼす効力について判示したものである。未成年者の債務承認につき、未成年者は金銭債権につき管理能力を有せず従つて未成年者が単独に為したる債務承認はこれを取消し得ることを認め、かような取消により、主債務の時効が完成した場合に保証債務も消滅すべきことを認めたものである。

【42】「(要旨第一)　然レトモ債務承認カ有効ナルカタメニハ承認者カ相手方ノ権利ニ付管理ノ能力アルヲ要スルコト民法第百五十六条ニ照シ疑ナキトコロ未成年者ハ意思能力ヲ有スル場合ニ於テモ自己ノ財産ニ関シ単独ニテ完全ナル効力アル行為ヲナスコト能ハサルヲ原則トシ従ツテ其ノ有スル金銭債権ノ管理ニ関スル行為ト雖モ法定代理人ニ依リテナシ若クハ其ノ同意ヲ得テ自ラナシタル場合ノ外之ヲ取消シ得ルヲ原則トス然リ而シテ訴外Aカ本件ニ於ケル問題ノ債務承認ヲ為シタル当時未成年者ナリシコトハ原審ノ確定シタルトコロナレハ右債務承認ハ取消シ得ヘキ行為ナルコト勿論トス然レハ之ト同趣旨ニ判示シタル原判決ニ所論ノ如キ違法ナク所論ハ畢竟独特ノ見解ニ立チテ原判決ヲ論難スルモノニシテ固ヨリ採ルヘカラス

(上告理由)　第四点　(終リノ方)　ハ連帯債務者相互ニ在リテハ連帯債務者ノ一人タル訴外Aニ付法律行為ノ無効又ハ取消ノ原因ノ存スル為他ノ債務者タル被上告人ノ債務ノ効力ヲ妨クルモノニ非ラサルコトハ民法第四百三十三条ノ明定スルトコロナリ原審判決ハ前記各法条ヲ適用セス輙ク被上告人ノ請求ヲ容認シタルハ失当ニシテ破毀ヲ免レストコロナリ信ス叙上ノ如クナルヲ以テ原審判決ヲ破毀シ更ニ相当ノ御裁判ヲ求ムル所以ナリト云フニアリ

（要旨第二）　然レトモ連帯保証モ亦保証ニ外ナラス従ッテ連帯保証人ノ義務ハ主債務者ノ義務ニ従タル関係ニアリ（即附従性ヲ有ス）又主タル債務者ト連帯保証人トノ間ニ負担部分ナルモノアルヘカラサルナリ然レハ主タル債務者ニ付法律行為ノ無効又ハ取消ノ原因ノ存スル場合ニハ之ニ因ル主債務者ノ義務ノ消長ニ従ヒテ連帯保証人ノ義務ハ消長ヲ来スヘク此ノ場合ニ民法第四百三十三条ノ適用ヲ見ルヘカラサルヤ疑問ノ余地ナク負担部分ノ存在ヲ前提トスル民法第四百三十九条ノ適用ナシト解セサルヘカラス蓋民法第四百五十八条ニ於テ連帯保証ノ場合ニ『第四百三十四条乃至第四百四十条ノ規定ヲ適用ス』トアリト雖モ連帯保証カ仍保証タルノ故ヲ以テ理論上到底適用スヘカラサル規定ハ之ヲ除外スルノ趣旨ナリト解スルヲ相当トス」（大判昭一三・一二・四民集一七・八七、判批、勝本（賛）判民昭和一三年度二七頁）。

主たる債務につき無効原因が存するときは主たる債務は初めより成立せず、従つて形式上成立している保証債務も原始的に無効に帰する。従つて、これはむしろ保証債務成立の問題として一、(二)(1)(4)で説明した。次の判例は、利息制限法違反の事件を取扱つたものであり、法律行為は全面的に無効とならず、消費貸借並びに利息契約は一応有効に成立するも、超過部分の利息債権だけが無効となる場合である。全面的な契約の無効を生ずるものでないから、ここに附記しておく。

【43】　「本訴ニ於テ原告タル被上告人ハ上告人ニ対シ被上告人カ契約ニ基キ取立講ニ支払フヘキ借用元金百六十円及之ニ対スル年一割五分ノ利息ニ付上告人ニ於テ連帯保証人タルコトヲ承認シ且之ニ関スル証書ニ連帯保証人トシテ署名捺印センコトヲ求ムト云フニ在ルモ貸借元金百六十円ニ付年一割五分ノ利息ヲ支払フ契約ハ強行法規タル利息制限法ノ禁止ニ違反シ其ノ違反部分ハ裁判上無効ナルヲ以テ（明治三十七年(オ)五〇六号同年十二月二十六日言渡当院判決並大正二年(オ)四一号同年三月二十七日言渡当院判決参照）仮令上告人ニ於テ被上告人等ニ対シ右元金及利息ノ支払ニ付連帯保証人タル事ヲ約諾シタル事実アリトスルモ右ノ違

反部分ニ関シテハ被上告人ハ裁判上保護ヲ請求シ得サルモノナリト云ハサルヘカラス」(大判昭三・六・二〇新報一五四・一二)。

(その五)　主債務が未だ成立しない場合に、その債務について連帯保証を契約した場合　この場合においても、連帯保証人は保証債務を履行する責任を負わないのが原則である。履行するといっても履行の目的物がないからである。

しかし、将来債権が発生すべき関係がある場合に、予め保証契約を締結することは、いわゆる根保証の場合として、一般にその効力が認められている所であり、それは信用の発生を助長し、かつ、安全ならしめ、金融取引を円滑化するため現実の経済社会において慣習的にも認められている所である。その理論については本書(一、二(二)(1))に詳述しておいた。

(その六)　主債務につき更改があるとき　更改もまた債務消滅原因であるから(民五一三)、主債務の更改あるときは、主債務に附従する連帯保証債務も消滅する。ただし、保証人の同意あるときは、更改によって新たに成立した債務につき、連帯保証債務を移転することは契約自由の原則上可能である(民五一八参照)。

【44】「被告ハ旧債務タル代理店契約上ノ債務ノ連帯保証人ナレハ連帯保証ト雖モ主タル債務ト運命ヲ共ニスヘキ通常ノ保証債務ト異ラサレハ前記債務ノ更改ニヨリテ保証債務ハ消滅スヘク従テ原告カ被告ニ対シ新債務上ノ保証債務ノ履行ヲ請求スルハ失当タルヲ免レス」(東京地判昭二(カ)五三六号、裁判年月日不詳、新報一三〇・一三)。

(その七)　主たる債務につき限定承認ありたるとき　主たる債務者が死亡し、相続が開始した場合において、相続人が限定承認(民九二二以下)をしたときは、主たる債務者のために連帯保証を為した者は債権者に対して、なお全額の債務につき弁済義務を負うか。

限定承認は、結局「相続によつて得た財産の限度においてのみ被相続人の債務及び遺贈を弁済すべきことを留保して」相続の承認を為すことをいうものであつて、もとの主たる債務者が生存していたとするも、債権者は満足な弁済も得られなかつた場合であり、当然保証人が全額の弁済義務を負うべき結果を生じたのであるから、限定承認があつたときは、（連帯）保証人は特約なきかぎり債権者の全額請求に応じなければならない。また、相続が被相続人の地位の承継であるとすれば、限定承認は、債務者が自ら全額の弁済をしない場合と同一結果にならざるを得ない。限定承認をなすや否やは相続人の自由であるからであり、むしろ債権債務がすべて相続せられるのが原則であるからである。相続開始前に主たる債務が既に弁済期に到来し、連帯保証人の全額弁済義務が既に具体化せる場合はもちろん未だ弁済期に到来していない場合でも、相続財産は相続開始の時を以て確定し（民九二九・九三〇）それ以上増減しないのであるから、限定承認あるときは、債務者の不履行が確定するものと云わなければならない。債権者の請求に対し、連帯保証人が弁済したため、求償権を相続人に対し行使する場合においては、相続人は限定承認の限度をもつて対抗し得る。また、限定承認を為す以前に於て保証人が弁済したるとき、相続財産につき他の債権者と共に保証人は求償権を行使することを得べく、限定承認後保証人に弁済したるときは限定承認により主たる債務者が債務を免れたる部分に相応する求償権はこれを行使し得ない（勝本・中(1)四五三、限定承認は連帯保証人を免責せずと為す点に於て同説、注釈民法一一巻二五六頁（西村）、磯村「債務と責任」民法演習Ⅲ一一頁）。

判例もまた控訴院判決であるが、限定承認あるも、債権者に対する連帯保証人の全額弁済義務には消長なきことを認めている。ただし、本判決は、それが保証債務の本来の目的（契約解釈？）であるといつているのは説明が不充分だと思う。

【45】「(要旨)　保証債務ハ主債務ニ従属スルモノナルヲ以テ保証人ハ主債務者ト同一ノ抗弁権ヲ有スルヲ原則トスレトモ主タル債務者ノ財産欠乏ノ場合ニ於テ保証人カ債務履行ノ責ニ任スルハ保証債務本来ノ目的トスルトコロナレハ主タル債務者カ死亡シ其ノ家督相続人ニ於テ限定承認ヲ為シタル場合保証人ニ於テハ之ヲ理由トシテ相続財産ノ限度ニ於テノミ責任アリト為スコトヲ得ス自己ノ全財産ヲ以テ其ノ債務弁済ノ責ニ任スヘキモノトス」(東京控判昭一二・九・二五評論二六民八四一)。

相続人が相続を放棄した場合も同様である。即ち、連帯保証人は全額弁済義務を免れない。なお、債権者の関与せざる主債務者と第三者との代位弁済契約その他免責的債務引受契約がある場合も同様である。債権者と主たる債務者及び第三者との間に、免責的債務引受契約があつたときは、旧債務の連帯保証人は、債権者に対し、それに同意しない限り、引受人の債務について保証義務は免れる。重畳的債務引受があつた場合には、旧債務の連帯保証人は影響を受けないこともちろんである。

(2)　消滅以外の主たる債務者につき発生した事項　債務の消滅以外の事項であつても、主たる債務者と債権者間に発生した事項については、連帯債務に関する規定は準用せられず、専ら保証債務に関する規定が適用せられる。例えば、民四四七条・四四八条の如きである。今、これらの理論の適用につき、判例によつて問題となつた場合を左に挙げる。

(その一)　主たる債務者に対する履行の請求　主たる債務者に対する履行の請求が保証人に対して効力が及ぶかは、四五八条にあらずして四五七条がこれを解決している。

しかしながら、そもそも主たる債務者に対する履行の請求が連帯保証人にも効力が及ぶべきかについては、保証債務の附従性から、或はまた、更に進んで連帯債務としても理論上その適否を疑い（石坂・債権総論中一〇九二頁、鳩山・債権総論三二二頁、柚木・下九五頁）、また結局、同じ理由に帰するが、連帯債務に相互保証性なるものを認め、保証関係にはそれを欠くという見方から、立法的に批難する所説がある（山中・民商三三巻三号三五〇頁）。

私は立法的に云つて多少考慮の余地は認めるが、立法者は、債権者の保護という立場から、連帯保証人に対する請求が主債務者にも及ぶことを認めているものと解する（四五八条）。そのために、主債務者と保証人との内部関係に多少の矛盾を認めても、債権者保護のために、一般に連帯の規定を準用することはやむを得ないと見たのであろう。連帯保証人は催告の抗弁権が奪われている。よつて債権者が連帯保証人に請求すれば、保証人は直ちに手放しに履行をしなければならぬ。これを主債務者が拱手傍観していていいのであるか。これは、保証の附従性から見て当然主たる債務者の責任をも具体化し、請求の絶対性を認めなければならぬ。連帯保証は連帯的性質を利用する保証であり、その連帯債務では、履行について絶対効を認めている（民四三四）、従つて、連帯保証における連帯の意思、乃至商五一一条二項の立法趣旨から云つても、担保力強化の立場から云つても、履行の請求は主たる債務者にも及ぶといわなければならない。連帯保証人は四五四条により催告の抗弁権が奪われているが、四五七条により、先ず主たる債務者に対し履行の請求があつたときは、連帯保証人の催告の抗弁権は意義がない。そこで逆に連帯保証人に対し最初に請求があつたときは、本来なら催告の抗弁で保証人が一息つくわけであるが、連帯保証のときは、そうはさせない。そこで、債権者は主たる債務者に改めて履行を請求しなければ主たる債務者の債務は現実化せられないか。履行期に来ている債務は、請求を俟たず遅滞に陥る（民四一二Ⅰ。もつとも、期限の定めなきものは請求がなければ遅滞に陥らない）。が、しかし、時効は中断されない。そこで法律は、主債務の時効中断のために請求の絶対効を認めたものである。而して、主債務の時効中断ということが、保証債務の附従性の関係上、債権者の利益保護のために、最も重要なことでなければならない。多少廻りくどい言い方であるが、こういうことが、請求の絶対効の立法理由であり、それが連帯に関する民四三四条の準用となつて現われているのである。

ただし、以上はことごとく立法論として、立法者を弁護している立場から云つていることであり、解釈論としては請求の絶対効は疑いないところである。

（その二）　主たる債務者に対する時効中断　主たる債務者について時効の中断が発生したときは直接に民四五七条一項が適用せられ、保証人に対してもその効力を生ずる。保証人が連帯保証人である場合も同様である。連帯保証人の場合でも「四五八条によつて四四〇条が準用せられ、履行の請求による中断（民四三四）以外は連帯保証人に対して効力を発生しない」のではない。この点も既に述べたことである（勝本・五二〇頁、コンメンタール二一〇頁、注釈民法一一巻二六七頁）。

右と同趣旨の判例でやや古いものは、既に明治四四年の東京控訴院判決（東京控判明四四・九・二最近判九・一一〇）に遡ることができるが、大審院のものとしては大正九年一〇月二二日の判例が明確に同様の判旨を示している。

【46】「（要旨）　連帯保証モ亦保証ニ外ナラサルヲ以テ主タル債務者ニ対スル履行ノ請求其他時効ノ中断ハ民法第四五七条ニ従ヒ連帯保証人ニ対シテモ其効力ヲ生スルモノニシテ同第四五八条第四三四条ニ依リ主

タル債務者ニ対スル履行請求ノミカ連帯保証人ニ対シ其効力ヲ生スルモ他ノ時効ノ中断ハ其効力ヲ生セサルモノト謂フコトヲ得ス」（大判大九・一〇・二三民録二六・一五八二）。

次に掲げる昭和五年の大審院判例（民集九・一〇一八）も前掲判旨に反する上告論旨に対し懇切なる説明を加え、次いで大判昭七・二・一六（民集一一・一二五、評釈、福井（賛）判民昭和七年度三九頁、法協五一巻七号一五九頁）も同旨を繰返し、昭和八年の東京地判にも襲踏せられ（東京地判昭八・二・九新報三三〇・二六）、昭和一四年の大判に更に繰返されている（大判昭一四・六・一四、新聞四四五六・七、評論二八民五一七、判決全集六・二二）。殊にこの判決には前掲大判昭五・一〇・三一、同昭七・二・一六を先例判例として掲げている。

【47】「上告論旨第二点ハ原判決ハ主債務者タルAニ対スル時効ノ中断ハ其ノ他ノ連帯保証人ニモ効力アリトシテA以外ノ上告人ノ主張ヲ排斥シタリ然レトモ民法第四百五十八条ノ規定ニヨリ各連帯保証人タル他ノ上告人等ニ対シテハ時効中断ノ効力ナク従テ時効完成シタルモノト謂フヘク原判決ハ此ノ点ニ於テ法律ヲ誤解シタル違法アリト信スト言フニ在リ

（要旨）然レトモ民法第四百五十八条ニ依リ連帯保証ニ適用セラルヘキ同法第四百三十四条乃至四百四十条ノ規定ハ連帯保証人ニ生シタル事由カ主タル債務者ニ及ホス関係ニ付適用セラルルニ止リ主タル債務者ニ生シタル事由カ連帯保証人ニ及ホスヘキ関係ニ付適用アルモノニ非サルモノナルヲ以テ主タル債務者ニ対スル時効ノ中断ニ付同法第四百四十条ヲ適用シテ連帯保証人ニ其ノ効力ヲ生セサルモノト解スルコトヲ得ヘキニ非ス却テ保証ニ付テハ民法第四百五十七条ノ特別規定アルヲ以テ同条第一項ニ依リ連帯保証ノ場合ニモ主タル債務者ニ対スル時効ノ中断ハ保証人ニ対シテモ其ノ効力ヲ生スルモノナレハ原審カ之ト同趣旨ノ判示ヲ為シタルハ正当ニシテ論旨ハ理由ナシ」（大判昭五・一〇・三一民集九・一〇一八、評釈、福井（賛）判民昭和五年度三五九頁）。

ただし、次の判例はやや異なつた見解を示す。即ち、この判例は、債務弁済に関する執行証書に基づき執行を委任したるも、執行吏は主債務者の現住所が不明なるため差押を為し得なかつた場合には、時効中断事由たる差押があつたものというを得ず、また、主たる債務者につき発生した事項が連帯保証人にも効力あるは、履行の請求のみであり、従つて履行の請求による時効の中断のみ連帯保証人に効力があるのであつて、かつ、原告は、催告後六ケ月内に法定の手続を取らなかつたのであるから、該催告も亦時効中断の効力を発生せしめ得ないと為すものである。

【48】「原告ハ執達吏ニ対シ大正十四年七月中本件債務弁済ニ関スル執行証書ニ基ク主タル債務者Aニ対スル執行ヲ委任シ執達吏ハ其ノ執行ノ為メ同証ニAノ住所トシテ記載セラレアル場所ニ赴キタルモ其住所不明ニシテ執行不能ニ終リタル事実ヲ主張シ以テ差押ノ着手ニヨル時効中断理由アリト為スモ債権者カ執達吏ニ対シ執行ノ委任ヲ為シタルモ債権者ノ住所不明ニシテ差押ヲ為スコト能ハサル場合ニアリテハ時効中断ノ理由タル差押ノ着手アリタルモノト謂フヲ得サルヲ以テ原告ノ右再抗弁ハ理由ナキモノナルコト明ナリ又原告ハ連帯保証人タル被告ニ対スル催告又ハ仮差押ニヨリ主タル債務者Aニ対スル時効ハ中断セラレタリト主張スレトモ連帯保証人ニ付生シタル時効中断事由ハ履行ノ請求ノ外主タル債務者ニ対シ其効力ヲ生セス原告ハ催告後六ケ月内ニ法定ノ手続ニ出テタルコトヲ主張立証セサルヲ以テ該催告モ亦時効中断ノ効力ナク従テ此点ノ原告ノ再抗弁亦理由ナキモノトス」（東京地判昭五・八・二〇、新聞三一六八・九、評論一九諸法四七四）。

（その三）　主たる債務者の時効利益の拋棄　主たる債務者が時効の利益を拋棄した場合においても、なお連帯保証人は、主たる債務について発生した時効の利益を援用し得るか。

一般に保証人が主たる債務者の時効の利益をその保証債務について援用し得るかについては、二つの方面から考えて見なければならない。第一は、保証人は主たる債務者が有する時効援用権を行使し得るかという問題であり、第二は、保証人は民一四五条の時効の利益を受くべき「当事者」として、これを援用し得るかという問題である。

第一の問題については、保証債務の附従性から云つて、殆んど問題は起らない。従つて、主たる債務者が保証債務成立以前に予め時効の利益を抛棄したというような特殊の場合は、保証人は、主たる債務について発生した時効の利益を主張し得ない（大判昭七・一二・二新聞三四九九・一四）。保証人が主たる債務者の時効援用権を援用したときは、理論上主たる債務そのものが消滅し、その結果保証債務も消滅することになる。

第二の、保証人は民一四五条にいわゆる時効の利益を受くべき当事者であるか。この点も、また、肯定すべきである。そして、学説・判例も大体この線に沿つている。その学説判例は拙著に詳細である（勝本・債権総論中巻之一・三九六頁註一参照）。民四五七条が主たる債務者に対する履行の請求その他時効の中断は保証人に対してもその効力を生ずるとしているのは、時効が保証人に対しても進行せることを前提とする規定である。従つて、保証人は民一四五条にいわゆる当事者に相当するから、右の当事者として、独自に時効を援用し得るのである。しかして、保証債務は、たとえ連帯保証であつても、主たる債務を担保する以外の点においては、その成立存続に於て主たる債務とは別異なものであり、その関係は、債権者と保証債務者との間の独立の債務であるから、主たる債務者が、時効の利益を抛棄した場合においても、保証人は主たる債務に関する時効の利益を主張し得る（大判大五・一二・二五民録二二・二四九七、大判昭五・一・二九、新聞三〇九二・一五【64】、大判昭六・六・四民集一〇・四〇一【50】）。たとえ保証債務成立のとき、既に、主たる債務者が予め時効の利益を抛棄する意思を債権者に対して表示していても、保証人がこれを知らずして保証契約を成した場合においても同様である。ただし、この主張は保証人が民一四五条の当事者としてなすものであるから、たとえ保証人が右の主張をしても、主たる債務者には効力を及ぼさない。従つて、主たる債務者は、自ら民一四五条の当事者として時効の利益を援用しない以上、弁済の責を免れない。保証人が保証契約に基づく保証債務そのものに関する時効の利益を主張し得ることはもちろんである。保証人が主たる債務に関する時効を援用する権利、または、保証債務そのものに関する時効の利益を抛棄し得ることももちろんであるが、かかる抛棄は主たる債務者になんらの影響を与えない。これらの理論は、連帯保証の場合にも該当するのである(勝本・債権総論中巻之一・三九六頁参照)。

次の判例は、主たる債務者が為したる時効の利益の抛棄は保証人に対して、なんらの効力を生じないとするものであるが、事案は時効完成後の債務承認に関するものであつて、その時効中断との関係を説明したものとして、特に判決理由の一部を採録する。

【49】「(判決要旨)　主タル債務者カ為シタル時効ノ利益ノ抛棄ハ保証人ニ対シ其効力ヲ生スル旨ノ規定ナキノミナラス時効ノ利益ノ抛棄ハ即チ抗弁権ノ抛棄ニ外ナラサレハ抛棄者及ヒ承継人以外ノ者ニ対シテハ其効力ヲ生スルモノト為スヲ得ス

(判決理由)　時効ノ中断ハ時効ノ未タ完成セサル場合ニ於テ法律ニ定メタル原因ノ発生ニ因リ既ニ経過シタル期間ノ利益ヲ消滅セシメ新ニ其進行ヲ始ムルモノト為スノ謂ヒナレハ時効ノ完成後ニ於テハ中断アリ得ヘキニ非サルコト勿論ナルノミナラス債務者ハ既ニ時効ノ利益ヲ有スルモノナルヲ以テ此場合ニ於ケル債務ノ承認ハ時効ノ利益ヲ抛棄スルノ結果ヲ来スニ外ナラサルモノト謂フヘシ而シテ本件ニ付キ原院ノ確定セル所ニ依レハ被上告人ハ訴外Aカ上告人ニ対シテ負担セル金額五百円利息一割五分返済期明治三十六年十二月二十日ノ消費貸借ニ因ル債務ニ付外一人ト共ニ上告人ニ対シ保証ヲ為シ且主タル債務者ト連帯シテ責任ヲ負

フヘキコトヲ約シタルモノニシテ其債務ハ商行為ニ因リ生シタルモノナレハ時効中断ノ事由ナキ限リ上告人ノ債権ハ弁済期限後五ケ年ヲ経過スルニ因リテ消滅スヘキモノナリ然ルニ主タル債務者Bカ明治四十年四月九日債務ヲ承認シタルコト亦原院ノ確定スル所ナレハ此時ニ時効ノ中断セラレタルコト多言ヲ要セサルモ其後明治四十一年六月二十日及ヒ同四十二年一月二十日ノ再度Aカ債務ヲ承認シタルコトハ原院ノ否定セル所ナレハ明治四十年四月九日ノ承認後五ケ年ノ経過ニ因リ本訴債権ハ消滅シタルモノト為ラサルヲ得ス然レハ大正元年九月ニ至リAカ債務ヲ承認シタルニセヨ其承認ハ時効完成ノ後ニ為サレタルモノナレハ時効ノ利益ヲ抛棄スルノ結果ヲ生スルニ過キサルヘシ此ヲ以テ原院ハ主タル債務者Yカ大正元年九月中債務ヲ承認シタル旨ノ上告人主張ヲ以テYカ時効ノ利益ヲ抛棄シタル旨ノ主張ナリト為シタルニ外ナラサルヘケレハ敢テ之ヲ不法ト謂フヲ得ス　尤モ上告人ハ明治四十一年六月六日及ヒ同四十二年一月二十日債務ノ承諾アリテ時効ノ中断セラレタルコトヲ主張セルモノナレハ大正元年九月中ニ承認アリタルコト主張スルハ其承認ニ因リ時効ノ中断セラレタルコトヲ主張スル趣旨ニシテ時効ノ利益ヲ抛棄シタルコトヲ主張スル趣旨ニ非サルモノノ如シ果シテ然ラハ原院カ時効ノ利益ヲ抛棄シタル旨ノ主張ナリトシテ之ヲ排斥シタルハ失当ニシテ真ノ主張ニ対シ判断説明ヲ為ササル不法アルヲ免カレサルモ原院ノ確定セル所ニ依レハ大正元年九月中ノ承認ハ時効ノ完成後ニ係ルモノナルカ故ニ中断ノ効力アルヘキモノニ非サルコト前説明ノ如クニシテ上告人主張ハ到底理由ナキニ帰シ原判決ハ結局正当ナル筋合ナルヲ以テ右ノ不法ハ原判決破毀ノ理由ト為スニ足ラス」（大判大五・一二・二五民録二二・二四九七）。

その後も主たる債務者の時効利益の抛棄の効力について、同旨の判決が繰返されている。

【50】「連帯債務者ノ一人又ハ主債務者カ完成シタル時効ノ利益ヲ抛棄スルモ他ノ連帯債務者又ハ主債務者ト連帯スル保証人ニ対シテ何等ノ効力ヲ及ホササルモノトス」（大判昭六・六・四民集一〇・四〇一）。

ただし、この判決が理由を民四五八条に求めているのは正当でない（勝本・五二一頁註三、石井・判批、判民昭和六年度一七二頁、法協五一巻七号一一九頁）。

（その四）　連帯保証人における主債務の時効の援用　　この点に関し次の二つの判例【51】【52】は、連帯保証人は、自己の債務の時効が中断され、または時効の利益を抛棄した場合でも、なお、主債務の時効消滅を主張し得るとなすものであつて、これまた、連帯保証もまた保証債務の一種であり、附従性を有することを所論の基礎とするものである。ことに第二の判例【52】は、債権者・主債務者間の債権に関する時効が完成したる以上、其後債権者と主債務者との間にその債権の存在を認めた判決が確定した後でも、なお、連帯保証人は、主たる債務についての時効を援用し得るとなしたものであることに注意すべきである。

【51】 「上告理由（第五点）ハ原判決ハ其ノ理由ニ於テ『而シテ原告ハ被告ヨリ最後ニ利息金ノ内入アリタリトシテ自認セル大正六年二月二日ノ以後ニ於テ其ノ債権ノ消滅時効ヲ中断スヘキ事由アリト主張スト雖云々原告Xノ全立証ニ依ルモ其ノ後被告Yカ右時効完成ノ利益ヲ抛棄シタリトノコトハ之ヲ認メ難キヲ以テ原告Xノ被告ニ対スル請求ハ此ノ点ニ於テ失当タルヲ免レス』ト判定シタリ然レトモ上告人援用ノ各証拠ヲ閲スルニ前点述ヘタル如ク本件被上告人等ハ大正九年六月六日ニ於テ時効ノ利益ヲ抛棄シ本件債務ヲ承認シ之カ猶予ヲ懇願シタルコトハ第二審証人Aノ証言ニ依リ明ナルノミナラス甲第四号証ハ被上告人Y_1（連帯保証人）ヨリ上告人宛大正九年六月九日附ノ書面ニシテ同書面ニハ『拝啓仕リ候過日欠礼仕候段御用捨被下度候扨テ本日打電可致約定致置候処可成Bニ面談ノ上都合等相考ヘ打電スル時間経過違約ノ義不悪御許シ願上候該Bニ面談ノ処本月末ニハ慥ニ解決相成候間今迄御猶予ノ取斗ニ付其ノ恩義大悦致候次第ニ付是非本月中御辛抱被下度特ニ御依頼申上候草々不備』ト記載シアリテ右書面ニ依レハ被上告人Y_1ハ大正九年六月九日本件

債務ヲ承認シ之カ支払猶予ヲ求メタルモノナルコト明ナリトス然ルニ原判決ハ此ノ証拠ヲ看過シ上告人ノ全立証ニ依ルモ其ノ後被上告人Y_1カ右時効完成ノ利益ヲ抛棄シタリトノコトハ之ヲ認メ難シト認定シ上告人ノ前示主張ヲ排斥シタルハ不当ニシテ破毀スヘキモノトスト云フニ在リ、然レトモ連帯保証モ亦保証ノ一種ニシテ主タル債務ノ存在ヲ前提トセルモノナルカ故ニ本件ニ於ケル主タル債務者ノ負担セル債務カ時効ニ因リ消滅シタル以上縦令連帯保証人タル被上告人等カ其ノ時効完成前債権者タル上告人ニ対シ保証債務ヲ負担セルコトヲ承認シタル事実アレハトテ之カ為ニ保証債務ノミ残存スヘキ理由ナク又時効ノ利益ノ抛棄ハ抛棄者及其ノ承継人以外ノ者ニ対シ其ノ効力ヲ生スヘキモノニ非サレハ縦令主タル債務者カ時効ノ完成後時効ノ利益ヲ抛棄シタリトテ連帯保証人タル被上告人等モ亦其ノ利益ヲ抛棄シタル事実ノ存セサル限リ被上告人等ハ尚ホ右ノ時効ヲ援用スルコトヲ得ルモノト謂ハサルヘカラス而シテ被上告人等カ時効ノ利益ヲ抛棄シタリトノ事実ハ原判決ノ否定スル所ニシテ此ノ点ニ関スル論旨ハ究意原審ノ職権範囲ニ属スル事実ノ認定ヲ批難スルニ帰シ上告適法ノ理由ト為スニ足ラサルモノナルカ故ニ原審カ被上告人等ノ提出シタル時効ノ抗弁ヲ採用シ同人等ニ対スル上告人ノ請求ヲ排斥シタルハ適法ニシテ所論ノ違法ヲ生スルモノニ非ス故ニ論旨ハ之ヲ採用セス」（大判昭五・一・二九新聞三〇九二・一五、評論一九民三五八）。

【52】「上告論旨第二点ハ原判決ハ法律ノ解釈ヲ誤リタル違法アリ原判決ハ其理由中ニ『尤モ前記甲第二号証及原審証人Aノ拠証言ニ依レハ被控訴人ハ控訴人ニ対シ其ノ債務ヲ承認シタル事実ヲ認メ得ラレサルニアラサルモ連帯保証人カ其ノ債務ヲ承認スルモ該承認ハ主タル債務ニ対シ其ノ効力ヲ生スヘキモノニ非サルカ故ニ之ニ依リテ主タル債務ノ時効中断又ハ時効ノ利益抛棄ノ効力ヲ生スヘキモノニアラス従テ連帯保証人ハ主タル債務ノ時効ヲ援用スルニ妨ケナキモノト云フヘク本訴ノ提起カ昭和五年十二月二十六日ナルコトハ本件記録ニ依リテ明瞭ニシテ主タル債務ノ時効中断ノ事実ハ控訴人ノ主張セサル処ナレハ本件債権ハ既ニ業ニ時効ニ因リ消滅シタルモノト認ム』ト説示シ以テ上告人ノ本訴請求ヲ排斥シタリ然レトモ民法第四百五十

八条ニ依レハ『主タル債務者カ保証人ト連帯シテ債務ヲ負担スル場合ニ於テハ第四百三十四条乃至第四百四十条ノ規定ヲ適用ス』トアリ右第四百三十四条乃至第四百四十条ニハ連帯債務者ノ一人カ債務ヲ承認シタル場合ノ規定ナキヲ以テ承認ノ効力ハ承認者自身以外ニ及ハサルコト原判示ノ如クナリト雖承認者自身ニハ債務承認ノ効力カ発生スルコト理ノ当然ナリ本件ニ於テ被上告人ハ時効完成後昭和五年五月末頃明ニ債務ヲ承認シ（Aノ証言及甲第二号証参照）延期ヲ乞ヒ居ル事実ハ原判決モ認ムルトコロナリ然ラハ該事実ニ依リテ被上告人ハ既ニ完成シタル時効ノ利益ヲ抛棄シタルモノト云ハサルヘカラス此ノ点ニ就キ原判決ハ『連帯保証人カ債務ヲ承認スルモ主タル債務ノ時効中断又ハ時効ノ利益抛棄ノ効力ヲ生スヘキモノニアラス従テ連帯保証人ハ主タル債務ノ時効ヲ援用スルニ妨ケナキモノト云フヘク』云々ト説明セルモ連帯保証人ハ債権者トノ関係ニ於テハ連帯債務者ト殆ント異ナルコトナキハ民法第四百五十八条ニ依リ連帯債務者ト債権者トノ関係規定中ソノ大部分カ適用サレ居ル法意ヨリ見テ明ナリト信ス従テ全部履行ノ義務アル連帯保証人カ時効ノ利益ヲ抛棄スルコトハ取リモ直サス支払ノ意思ヲ表示セルモノニシテ主タル債務ノ時効ノ利益ヲモ援用セサル趣旨ト解スヘキモノナリト信ス況ンヤ第三点ニ説述スルカ如ク主タル債務者ノ債務ハ判決確定シテ現ニ存在スルニ於テオヤ原判決ハ此ノ点ニ於テ時効ノ法則ヲ誤解シタル違法在リト云フニ在リ

然レトモ保証人カ主タル債務者ト連帯シテ債務ヲ負担シタルトキト雖尚保証債務ノ特有タル主タル債務ニ附従スル性質ヲ失ハサルヲ以テ主タル債務カ消滅シタルトキハ保証債務モ亦消滅ニ帰スルモノト云ハサル可ラス然リ而シテ保証ハ主タル債務者ノ債務カ時効ニ因リ消滅シタルコトヲ主張スルコトヲ得ルハ夙ニ本院判例ノ認ムルトコロナルニヨリ本件ノ如キ主タル債務者ト連帯シテ保証債務ヲ負担シタル被上告人モ亦自己債務ニ対スル消滅時効カ中断セラレ若ハ時効ノ利益ヲ抛棄シタルトキト雖主タル債務者ノ債務カ時効ニ因リ消滅シタルコトヲ主張スルヲ妨ケサルト同時ニ叙上ノ如キ事実アリタレハトテ単ニ此ノ一事ニ依リ被上告人ニ於テ主タル債務カ時効ニ因リ消滅シタルコトヲ主張スルノ意思ナキモノト云フヲ得ス尚原院ノ確定シタル事

実ニ依レハ本件上告会社ノ訴外Bニ対スル債権ハ本訴提起前消滅時効ノ完成ニ因リ消滅シタルモノナレハ其ノ後右両人間ニ其ノ債権ノ存在ヲ認メタル判決確定シタレハトテ上告会社ト右債権ニ付保証人タル被上告人トノ関係ニ於テハ被上告人ハ主タル債務カ時効ニ因リ消滅シタルコトヲ主張スルコトヲ得ルモノトス然ラハ之ト同趣旨ニ出テタル原判決ハ相当ニシテ本論旨ハ其ノ理由ナシ」（大判昭七・六・二一民集一一・一一八六）。

（その五）　主たる債務者の一人に対する連帯の免除　主債務者が数人の連帯債務者である場合に債権者が主債務者の一人に対し連帯の免除を与えたときは、右連帯債務者全員のために連帯保証人となつた者は、債権者の請求に対し、連帯の免除を受けた者が無資力なる場合において、本来債権者は他の連帯債務者に請求する場合には無資力者の負担部分を自ら負担しなければならぬわけであるが（民四四五）、これは連帯債務者と債権者との間の問題であつて、連帯保証人は連帯債務者ではないから、連帯保証人に対しては、右規定に拘わらず履行の請求を為し得るか否か。次の判例はこれを肯定する。事案は、YよりA、B、Cが一、五〇〇円を連帯にて借り受け、XがA、B、Cのため連帯保証人となつた。債権者はB、Cより各々五〇〇円の弁済を受け、Aに対して連帯の免除をしたが、このAは無資力であつた。債権者Yは連帯保証人Xに対し残額五〇〇円の弁済を要求したのに対し、Xは四四五条により五〇〇円は債権者が自ら負担すべきであると云つて争つた事案である（コンメンタール二一〇頁(賛)）。

【53】「（判決理由）　然レトモ民法第四百四十四条ハ連帯債務者相互間ノ関係ニ付規定シ同第四百四十五条ハ多数連帯債務者中ノ或者ニ対シ連帯ノ免除ヲ与ヘタル債権者ト其ノ免除ヲ得サリシ連帯債務者トノ間ノ関係ニ付規定シタルモノニシテ孰レモ連帯債務者ノ連帯保証人ニハ相関スル所ナキモノナルノミナラス民法ハ連帯債務者相互間若クハ連帯債務者ト其ノ債権者トノ間ノ事項ヲ定メタル規定ニシテ連帯保証人ニ準用ス

ヘキモノハ一々之ヲ明定シタルニ拘ラス前掲規定ニ付テハ斯ルコトヲ定メタル規定無キニ鑑ミルトキハ前掲規定ハ之ヲ連帯債務者ノ連帯保証人ニハ準用セサル趣旨ナリト解スルヲ相当トス而シテ原審確定ノ事実ニ依レハ上告人ハ被上告人Yヨリ本件金員ヲ連帯シテ借受ケタルA、B及Cノ連帯保証人ト為リタルモノニシテ是等ノ者ト共ニ連帯シテ右金員ヲ借受ケタルモノニ非サルヲ以テ上告人ト右B、C若クハ被上告人トノ関係ニ付テハ前掲規定ヲ以テ律スヘキモノニ非サルコト明ナリト謂フヘシ又商法第二百七十三条第二項（現行五一一条二項）ハ其ノ所定ノ場合ニハ保証人ノ保証債務ヲ主タル債務者ト連帯ノ保証債務タラシムルト共ニ保証人相互間ニモ其ノ保証債務ニ付連帯責任ヲ生セシムル趣旨ニ止マリ保証人ヲシテ主タル債務者ト連帯ノ主債務者タラシムル趣旨ニ非サルコト勿論ナリ」（大判昭七・六・二五 新聞三四四八・一二）。

なお、右の外、主たる債務の期間更新の場合における連帯保証人の責任については【71】に、又主債務の期間延長が連帯保証人に及ぼす効力については【72】に、又賃料値上、仮差押の保全金が連帯保証人に如何なる影響があるか等、其他同種の問題については**四**の(三)(1)以下にそれぞれ説明しておいた。

(二)　連帯保証人について生じた事項の効力

(1)　原則について——負担部分ありや　前述の如く（本書四七頁）連帯保証人について発生した事項の効力については連帯債務に関する民四三四条ないし四四〇条が適用せられる。法文には適用とあるが連帯保証もその本質は保証の一種であつて連帯債務ではないのであるから、準用の意味である。かつ、本来保証人は負担部分を有するものではないから負担部分の存在を前提とする規定、例えば、民四三六条二項・四三七条・四三九条は準用せられる余地はない。また、保証債務の性質上同一の結果を生ずる規定、例えば、民四三五条・四三六条一項の如きは、これを準用する必要を見ない。その他民四四〇条もまた、保証債務の附従性の理論上同一の結果を生ずる。従つて、民四三四条ないし四四〇条のうち実際に準用せられる実益があるのは、民四三四条（履行請求）と民四三八条（混同）とであるというのが多数説である（これが通説なることはコンメンタール二一一頁、注釈民法一一巻二六六頁（西村）も認めている。その二七〇頁に詳細である。）。

ただし、学説としては、前にも言及したように解釈論としても異説があり（古くは川名・債権法要論四〇〇頁、その他岡村・改訂債権法総論二一七頁）、また、立法論としても古くから石坂博士（石坂・債総中一〇九二頁）の批判があり、ことに履行の請求（民四三四）について絶対効を認めたことには立法論として強く批判せられ、それは最近まで続いている（於保・二五四頁は民四五八条は連帯ということに拘わり過ぎているという。柚木・九四頁は民四三四条、四三八条は連帯債務についても立法上疑問だとする。これに対する強い批判、注釈民法二七一頁（椿）その他、鳩山・債権法総論三二一頁、近藤＝柚木・註釈日本民法債総中二五七頁）。なお、解釈論として、民四三八条は準用しなくても、混同の結果、連帯保証人が債権者となるから妨げなしとの見解もある（我妻五〇一頁、ただしコンメンタール二一一頁は準用を認む。本書（三の二の(5)）参照）。その他ある者は民法四三〇条と四四〇条のみ適用を認める（遊佐・民法原理債権六四六頁、ある者は民四二四・四三五・四三八の適用ありとする（嘉山・改訂債権法総論三三五頁））。また一説は連帯債務に相互保証性なるものを認め、連帯保証は一種の保証であり（従つて一方的保証）、相互性がないから、連帯債務の規定を準用することは当を得ないとする（山中・民商三二巻三号二一五〇頁以下）。しかして、この説は解釈論として民四三四条・四三八条の準用を排し、かえつて、民四三五条（更改）、四三六条一項の準用を認めている（山中・債権法総論一八二頁以下・同講一八二頁）。これら諸説の批判は椿氏論述（注釈民法一一巻二七〇頁）に懇切である。なお、連帯債務の相互保証の観念自体は立法論的のものであつて、現行民法の条文の解釈からは適確に導けないと考える。

なお、連帯保証の負担部分ということについて、一言注意すべきは、本書で後述する如く、一般原則としては、連帯保証人には保証人として、負担部分という観念は認める余地がないにしても、連帯の特約、保証人と主債務者との契約、数人の連帯保証人間の契約において、また場合によっては、その場合に債権者をも入れて、いわゆる負担部分なるものを約定することは必ずしも不可能でなく、また連帯保証人が、債務の全部または一部について、事前の求償を得た場合にも、いわゆる負担部分に該当する事実が発生する。しかし、かような特別の事情なき限り負担部分の存在は、原則として否定すべきであり、若し軽卒に、そのような表現が、判例の事案で採られているときは、その部分については、むしろ、連帯債務関係が併存するものと解すべきであろう（勝本五三二頁註二、西村・民商八巻一号八〇頁、後述判例参照）。

次に、わが判例が、大体は通説（民四三四・四三八の準用のみを認む）に従いつつ、個々の具体的事案について、いかに民四五八条を解釈適用しているかについて検討したいと思う。

先ず、次の判例【54】は、民四三七条「連帯債務者ノ一人ニ対シテ為シタル債務ノ免除ハ其債務者ノ負担部分ニ付テノミ他ノ債務者ノ利益ノ為メニモ其効力ヲ生ス」という規定の適用につき注目すべき判旨を示している。

【54】「主債務者ノ為連帯保証ヲ為シタル者ノ中主債務者トノ関係ニ於テ若干ノ負担部分ヲ有スル場合ニ此ノ者カ債務ノ免除ヲ受ケタルトキハ此ノ負担部分ノ範囲ニ於テ主債務者ハ其ノ債務ヲ免ルコトアルヘク延テ他ノ保証人亦此ノ限度ニ於テ其ノ債務ヲ免カルルモノトス」（大判昭四・七・一〇評論一八民一一〇〇）。

この判決は、連帯保証人につき民四三七条を準用しているのであるが、右の負担部分がある範囲においては、前述の如く連帯債務が存するものと解し、その結果同条の適用を認むべきである（勝本五二三頁註二参照）。

【55】「連帯保証債務に於ける負担部分は反証なき限り主債務者が全部にして、連帯保証人は皆無なりと

認むるを相当とす」（東京控判大八・一〇・六新聞一六三二・一六）。

この判決は連帯保証も保証の一種であるからという理由で、主たる債務者に全部の負担部分を認めているのである（連帯保証債務と雖も従属的の債務たる性質上……普通の保証債務と択ぶところなきが故に云々、前掲一七頁）。

この趣旨は、次の判例に一層明白にあらわれている。

【56】「連帯保証モ亦保証ニ外ナラス従ツテ連帯保証人ノ義務ハ主債務者ノ義務ニ従タル関係ニアリ（即附従性ヲ有ス）（ここ迄既出）又主タル債務者ト連帯保証人トノ間ニ負担部分ナルモノアルヘカラサルナリ」（大判昭一三・二・四民集一七・八七）

(2)　連帯保証人に対する履行の請求（民四三四の適用）　この点に関し、次の二判例【57】【58】は連帯保証人に対する履行の請求につき民四三四条の適用を認め、従って主たる債務者にその効力が及ぶことを認め、その結果主債務の時効が中断せられることを判示した。

【57】「保証債務ハ従タル債務ナリト雖モ其ノ連帯保証ナル場合ニ於テハ民法第四百三十四条ヲ適用スヘキモノナレハ連帯保証人ニ対スル請求ハ裁判上ノ請求タルト裁判外ノ請求タルトヲ問ハス主タル債務者ニ対シテモ其ノ効力ヲ生スヘキモノトス然レハ原判示ノ如ク被上告人カ大正十四年十二月二十八日連帯保証人タル上告人ニ対シテ其ノ債務ノ履行ヲ催告シ次テ六ケ月以内ニ支払命令ノ申請ヲ為シタル以上主タル債務ノ消滅時効モ亦之ニ因リテ中断セラレタルモノト謂フヘシ」（大判昭二(オ)六二六昭三・二・一五、新聞二八四七・一〇、評論一七民六三五）。

この判決は、裁判外の請求については、六ケ月以内に裁判上の請求を為す必要を認め、支払命令の申請がこれに該当することを認めている。訴訟の提起によつて履行の請求を為す場合には、もちろん直ちに中断の効力を生ずる。次の判例参照。

【58】「原判決ノ認定スル所ニヨレハ上告人ハ従参加人A会社カ甲第一号証ノ契約ニ依リB銀行ヨリ割引シタル手形ニ基ク手形債務ヲ同会社ト連帯シテ保証シタルモノニシテ其ノ債務ハ民法上ノ保証債務ナルコト上告人所論ノ如シト雖民法第四百五十八条第四百三十四条ノ規定ニ依レハ保証人カ主タル債務者ト連帯シテ保証ヲ為シタル場合ニ於テ其ノ保証人ニ対シ履行ノ請求ヲ為シタルトキハ其ノ請求ハ主タル債務者ニ対シテモ効力ヲ生スルモノト謂フヘク被上告人カ大正十四年七月八日本訴ノ提起ニ依リ連帯保証人タル上告人ニ対シ履行ノ請求ヲ為セルコト原判決ノ確定シタル所ナレハ主タル債務者タルA会社ノ本件手形上ノ債務ニ付テモ裁判上ノ請求ノ効力ヲ生シ従ツテ大正十四年七月八日ニ於テ同会社ニ対シテモ時効中断ノ効力ヲ生シタルモノト謂ハサルヲ得ス」（大判昭六・一・二九新聞三二三〇・一五、評論二〇商六九、彙報四二上民三一五）。

その他連帯保証人に対する履行の請求に因る時効中断が主たる債務者に効力を及ぼすことについては、同旨の判例が夥多存する（大判昭二・三・一七新聞三九六八・一七、評論二五民二〇六、大判昭七(オ)二九一号法学二・六・八五、大判昭一一・三・一七新聞三九・六八・一七、評論二五民二〇六、大判昭一四・八・一七法学九・九九、大判昭一五・一二・二一評論三〇民二七五、判決全集八・七・一〇）。

（その一）　抵当権による競売の申立　次の判例は、抵当権実行による競売の申立は、いわゆる、裁判上の請求に準ずるものであつて、連帯保証人に対する履行の請求として、主たる債務者に対してもその効力を生ずるとし、民四三四条の適用を認めている。

【59】「控訴人等ハ連帯保証人ニ対スル抵当権実行ニヨル競売ノ申立ハ時効中断ノ効力ナキ旨主張スレトモ抵当権実行ニヨル競売ノ申立ハ民法第百四十七条第一号ニ所謂請求ニ該当シ且ツ同法第百五十七条第二項ニ所謂裁判上ノ請求ニ準スルモノト認ムルヲ相当トシ而カモ同法第四百五十八条第四百三十四条ノ規定ニヨレハ連帯保証人ニ対スル履行ノ請求ハ主タル債務者ニ対シテモ其ノ効力ヲ生シ時効中断ノ効力アルモノナルコト明カナルヲ以テ控訴人等ノ右主張ハ理由ナシ」（東京控判昭一三・九・二七新聞四三四四・七、新報五二四・一八）。

この点に関し、控訴院判決が右の見解をとつたのに対し、上告審において控訴人はこれを攻撃し、争つたのであるが、昭和一四年八月三〇日の大審院判決は、この上告論旨を容れ、主たる債務者に対する時効中断は発生しないと説示したが、本件においては、時効は完成していないのであるから、上告人の時効の抗弁は結局理由なきに帰し、原判決の結果と同一となると判示した。

【60】「上告理由(第二十一点)ハ上告人等ハ原審ニ於テ時効ノ抗弁ヲ提出シ仮ニ被上告人カ本件債権ヲ有効ニ譲受ケタルモノトスルモ右元金ノ弁済期ハ大正十五年十二月末日ノ経過ニ因リ当然到来シタルモノナルヲ以テ被上告人等ノ利息債権ハ本件債権ノ届出ノ日タル昭和七年七月二十一日ヨリ遡及シ五年ヲ経過シタル部分ハ消滅時効完成シタルコト明ナルヲ以テ上告人等ハ自己ノ債権ヲ保全スル為債務者ニ代位シテ右ノ時効ヲ援用シタルコトハ原判決ノ事実摘示ニ依リ明白ナリ然ルニ原判決ハ此ノ点ニ関シ『控訴人（上告人）等ハ更ニ時効ノ抗弁ヲ提出シタルニ依リ按スルニ成立ニ争ナキ甲第十八号証ニ依レハ被控訴人（被上告人）ハ昭和三年五月十日本件貸金十四万二千二十二円七十五銭及大正十五年十二月十九日以降ノ利息ニ付熊谷区裁判所ニ対シ前示抵当権ノ実行ニヨル競売ノ申立ヲ為シ翌十一日競売手続開始決定ヲ為シタル事実ヲ認メ得ヘク他ニ反証ナキ本件ニ於テハ右競売手続ハ現ニ繋属中ノモノト認ムルヲ相当トスルヲ以テ本件貸金十四万二千二十二円七十五銭及之ニ対スル大正十五年十二月十九日以降ノ利息損害金ニ付テハ右競売ノ申立ニ依リテ時効中断シ其ノ効力ハ現ニ継続セルモノト謂ハサルヘカラス控訴人等ハ連帯保証人ニ対スル抵当権実行ニヨル競売ノ申立ハ時効中断ノ効力ナキ旨主張スレトモ抵当権実行ニヨル競売ノ申立ハ民法第百四十七条第一号ニ所謂『請求』ニ該当シ且同法第百五十七条第二項ニ所謂裁判上ノ請求ニ準スルモノト認ムルヲ相当トシ而モ同法第四百五十八条第四百三十四条ノ規定ニ依レハ連帯保証人ニ対スル履行ノ請求ハ主タル債務者ニ対シテモ其ノ効力ヲ生シ時効中断ノ効力アルモノナルコト明ナルヲ以テ控訴人等ノ右主張ハ理由ナシ』ト判示セラレ

タリ然レトモ原判決ノ右判示ハ抵当権ノ実行ニヨル競売ノ申立ヲ以テ民法第百四十七条第一号ニ所謂『請求』ニ該当スルモノナリト誤解シタル結果同法第四百五十八条及第四百三十四条ノ規定ヲ不当ニ適用シタル不法アルモノトス抑モ民法第四百三十四条ニ所謂『履行ノ請求』中ニハ同法第百四十七条カ時効中断ノ事由トシテ列挙シタル『差押』又ハ『承認』ヲ包含セサルモノト解スヘキコトハ従来ノ御院判例及多数学説ノ一致スル見解ニシテ殆ト異説アルヲ聞カス又抵当権ノ実行ニヨリ競売ノ申立ハ純然タル差押ニ非サルモ権利実行ノ手段タル点ニ於テ強制競売ト全然其ノ性質ヲ同フスルヲ以テ之ヲ民事訴訟法ニ所謂差押ト同視スヘク従テ民法第百四十七条ニ所謂『差押』中ニ包含シ所謂『履行ノ請求』中ニ包含セサルモノト解釈スヘキコトハ之亦御院判例及学説ノ一致スル所ナリ（例ヘハ御院昭和十三年(ク)第二一九号同年六月二十七日第一民事部決定法律新聞四三四二号所載）従テ連帯保証人ニ対スル抵当権ノ実行ニヨル競売ノ申立ハ民法第四百五十八条ノ準用スル同法第四百三十四条ニ所謂『履行ノ請求』ニ該当セサルヲ以テ主タル債務者ニ対シ何等ノ効力ヲ生スヘキモノニ非サルコト勿論ニシテ之カ為主タル債務者ニ対スル時効中断ノ事由タラサルコトハ明々白々火ヲ睹ルヨリモ明ナリ然ルニ原判決カ叙上ノ如ク抵当権ノ実行ニヨル競売ノ申立ハ裁判上ノ請求ナリト妄断シタル結果民法第四百五十八条及同法第四百三十四条ノ規定ヲ適用シ時効中断ノ効力ヲ認メタルハ不法ニシテ此ノ点ニ於テモ原判決ハ破毀ヲ免レサルモノト信スト云フニ在リ

（判決理由）　然レトモ抵当権実行ニ因ル競売ノ申立ハ民法第百四十七条ニ所謂差押中ニ包含シ同法第四百三十四条ニ所謂履行ノ請求中ニ差押ヲ包含セサルカ故ニ連帯保証人ニ対スル競売ノ申立ハ主タル債務者ニ対スル時効中断ノ事由トナラサルコト所論ノ如クナルカ故ニ之ト見解ヲ異ニスル原判示理由ハ正当ニ非スト雖本件債権カ商事債権ナルコトハ当事者ニ於テ毫モ主張立証ナク又民法第百六十九条ニ該当スル債権ニ非サルコト論ナキカ故ニ原審ニ於テ上告人ノ主張シタル時効ノ抗弁ハ民法第百六十七条第一項ニ定ムル十年ノ消滅時効ナリト謂ハサルヘカラス而シテ本件破産債権届出ノ日カ昭和七年七月二十一日ナルコトハ原審ノ確定ス

ルトコロナレハ本件債権ハ其ノ成立ノ日タル大正十五年十二月四日ヨリ起算スルモ尚且十年ノ時効完成セサルコト洵ニ明瞭ニシテ上告人ノ時効ノ抗弁ハ其ノ理由ナキニ帰スルヲ以テ其ノ帰結ニ於テハ原判決ト同一ナリ論旨ハ結局理由ナシ」（大判昭一四・八・三〇新聞四四六五・七、評論一九民六、彙報五〇下民四六五）。

（その二）　破産債権の届出　　次の判例は、破産債権の届出に時効中断の効力を認めると共に、連帯保証人に対する、そのような時効の中断が主債務者に対してもその効力を生ずべきことを認めたものであるが、判旨に反対の上告論旨も弁明大いに努めた所は、学説としても参考となるので、多少冗長の嫌いはあるが、これも併せて採録することにした。

【61】「（上告論旨）ハ原判決ハ法律ヲ誤解シ不当ニ適用シタル違法アリ……即チ原判示ヲ査スルニ法律上次ノ問題アリ（イ）連帯保証人ニ対スル履行ノ請求ハ主債務者ニ対シテモ其ノ効力ヲ生スルヤ（ロ）連帯保証人ニ対スル請求ニ因ル時効中断ノ効力ハ主債務者ニモ及フヤ（ハ）連帯保証人ノ一人ニ対スル請求ノ結果主債務者ニ対シテモ時効中断スルモノトセハ延ヒテ他ノ連帯保証人ニ対シテモ時効中断スルヤ（ニ）破産債権ノ届出ハ請求乃至裁判上請求ノ効力アリヤ（ホ）連帯保証人ノ一人ニ対スル破産ニ付債権届出ヲ為シタルトキハ主債務者ニ対シテモ請求ノ効力ヲ生スルヤ先ツ（イ）ノ点ニ付テハ民法第四百五十八条同第四百三十四条ニ依リ連帯保証人ニ対スル履行ノ請求カ主タル債務者（連帯債務者）ニ対シテモ其ノ効力ヲ生スルコト論ナシ而シテ其ノ請求ノ効果タル時効中断ノ効力ヲモ主債務者ニ及ホスヘキヤ（ロ）ノ点ニ付キテハ第百四十八条トノ関係上議論アリ民法第四百三十四条ハ請求ノ効力カ連帯債務者ニ及フコトヲ規定セルモ同第百四十八条ハ其ノ請求ノ効力ノ中ノ時効中断ノ効力ニ付キテ特ニ規定セルモノナレハ第百四十八条ハ時効ニ関スル限リ特別ノ規定ナリト謂ハサルヘカラス請求ノ効果ハ一ナラス或ハ附遅滞解約時効中断等種々ニシテ其ノ効力ハ他ノ連帯債務者ニ及フヘシト雖其ノ中ノ時効中断ノミハ民法第百四十八条ニ基キ他ノ連帯債務者ニ及

ハサルモノト謂ハサルヘカラス之ヲ反対ニ解スル者ハ第百四十八条ニ対シテ第四百三十四条カ特別規定ナリト謂フモ之債権者保護ニノミ急ニシテ債務者ヲ保護シ時ノ経過ニ依ル権利ノ寂滅ヲ期シ社会ノ紛争ヲ減少セントスル時効制度ノ精神ヲ顧慮セサルモノト謂ハサルヘカラス若シ夫レ連帯債務者ノ一人ニ対スル請求ニ依ル時効中断カ他ノ連帯債務者ヘモ其ノ効力ヲ及ホスモノトセンカ一債務者ニ対シテノミ請求シツツアリシ結果ハ幾百里ヲ隔テ数十年ヲ経過シタル他ノ債務者ニ対シ全然其ノ不知ノ間ニ於テ猶債務存続スルノ不当ナル結果ヲ生スヘシ豈之レ法ノ精神ナランヤ債権者タルモノ其ノ権利ヲ保持セントニハ須ラク随時各債務者ニ対シテ請求シ権利ノ行使ヲ為スヘク一債務者ニ対シテ之レヲ為シタリトテ他ヲ放任スルカ如キハ権利ノ上ニ眠ルモノニシテ時効消滅ノ結果ヲ得ルモ亦已ムヲ得スト為ササルヲ得ス或ハ又本件ノ如キ場合連帯保証人ノ一人ニ対スル請求ニ因ル時効中断カ主債務者ニ及ハスト解スレハ主債務者ニ請求シ時効中断シタルトキ連帯保証人ニ効力ヲ及ホス場合ト衡平ヲ失スヘシトノ議論アルモ之レ連帯債務ト保証債務ノ性質異ナル結果ニ因ルモノナルヲ念ヘハ敢テ意トスルニ足ラス之レヲ要スルニ（ロ）ノ点ニ付キテハ連帯保証人ニ対スル請求ニ因ル時効中断ノ効力ハ主タル債務者ニ及ハス之ニ反セル解釈ヲ以テ上告人ノ抗弁ヲ排斥シタル原判決ハ法律ノ解釈ヲ誤リタル違法アリ次ニ（ハ）ノ点連帯保証人ニ対スル請求ノ結果ハ仮リニ主債務者ニ対シテモ時効中断ノ効力ヲ生スルトセハ他ノ連帯保証人ニ対シテハ如何或ハ従属的関係ヨリ他ノ連帯保証人ニ対シテモ時効中断ストー応解スヘキカ如シト雖法律ノ規定ノ結果主タル債務者ニ及ヒタル効力ヲ更ニ他ノ無関係ナル連帯保証人ニ迄モ循環的ニ其ノ効力ヲ及ホスコトハ当事者ノ意ニ反シ又法ノ予期セサル範囲ニシテ広キニ過クル解釈ナリト謂ハサルヲ得ス原判決カ上告人Xニ対シテモ時効中断ノ効力アリト為シタルハ不法ナリ次ニ（ニ）破産債権ノ届出カ破産者ニ対シテ請求ト同一ノ効力アリヤ否ハ或ハ民法第百五十二条ノ法意ニ照シ之レヲ積極ニ解スヘキモノナリトスルモ民法第四百三十四条ニ所謂請求ノ範囲ニハ之レヲ包含スルヤ否ハ問題ナリ同条ハ明確ニ請求ト規定シ請求ト同一ニ取扱ハルル他ノモノヲモ包含ストハ解スル能ハサルナリ同法条カ連帯

債務者間ノ関係ヲ定メタル特別規定ナル以上其ノ字句ノ範囲ヲ厳格狭義ニ解セサルヲ得ス由是観之破産手続参加ノ効力ハ他ノ連帯債務ニ及ハサルモノト解スヘキヲ正当ト信ス之レト反対ノ見解ニ依リ上告人ノ抗弁ヲ排シタル原判決ハ不法ニシテ破毀セラルヘキモノナリト信スト云フニ在リ

（判決理由）　然レトモ連帯保証人ニ対スル履行ノ請求ハ主債務者ニ対シテモ其ノ効力ヲ生スルコトハ民法第四百五十八条第四百三十四条ノ規定ニ依リ明カニシテ玆ニ所謂請求中ニハ破産債権ノ届出ヲモ包含スヘキモノナルコト同法第百四十七条第一号ト第百四十九条乃至第百五十二条トヲ対比スルニ依リテ明瞭ナルヲ以テ破産債権届出ノ日ヨリ配当終了ノ日迄時効ヲ中断スルモノト解スヘク連帯保証人ニ対スル該時効ノ中断ハ主債務者ニ対シテモ其ノ効力ヲ生スルモノナリトス（昭和十三年（オ）第一〇五五号同年十二月八日言渡当院判例参照）又主債務者ニ対スル時効ノ中断ハ他ノ保証人ニ対シテモ其ノ効力ヲ生スルモノナルコト同法第四百五十七条ノ規定ニ依リ明カニシテ該中断カ主債務者ニ直接生シタル事由ニ因ル場合タルト法律ノ規定ノ結果主債務者ニ生シタル場合タルトニ依リテ前記法条ノ適用ヲ異ニスヘキモノニ非ス」（大判昭一四・九・九新聞四四六八・一一、評論二八民七七六、彙報五〇下民五四八）。

なお、学説としては、連帯保証に民四三四条を適用することの適否について疑問を抱き、少なくとも立法論として、批難する所説あることは既に述べた所である。

(3)　連帯保証人の為す債務の承認　　なお、連帯保証人に対し債権の消滅時効が進行しつつある場合に連帯保証人がその債務を承認しても保証債務の従たる性質上その承認は主たる債務者に対し、その効力を生ぜず、従つて、これに因つて主たる債務者の時効は中断せられない。

【62】「控訴人は大正四年十二月二十二日被控訴人Y_1に於て其の債務を承認したるに依り之に因りて被控訴人Y_2の負担せる売掛代金債務の時効中断の効力を生じたると主張すれども連帯保証人が其の債務を承認する

も該承認は主たる債務者に対し其の効力を生ずべきものにあらざるが故に被控訴人Y_1が右売掛代金債務の連帯保証人たる場合に於て同人が其の保証債務を承認したりとするも其の承認に因りて該売掛代金債務の時効が中断せらるべきものにあらず、況んや被控訴人Y_1は本件約束手形に付き民事上の連帯保証人となりたるものにして右売掛代金債務を保証したるものに非ざるに於ておや」（東京控判大八・四・二新聞一五七二・二一、評論八商二一、なお、同旨大判昭七(オ)二一九一法学二・六・八五）。

また、次の判例は、主たる債務者が行方不明なるため連帯保証人に対して請求したるも、連帯保証人はその債務を承認した場合に関する。上告人は、この承認が主たる債務者に効力及ばざるときは、主債務者に対し単に時効中断の目的のみをもつて起訴し、または承認した連帯保証人に対し強制執行をしなければならぬ。これはまことに不経済で無駄なことである。これは民四四六条の保証債務制度の趣旨に反する。連帯保証人に対して強制執行をしてから主債務が時効に罹ると、連帯保証人の責任が消滅するということでは、まことに奇異な結果を生ずる。よつて、債務の承認も主たる債務者に対して効力を生ずるものというべきであると主張した。大審院はこれに対し、簡単に、保証債務は主たる債務に従属するものであり、主たる債務が消滅するときは、連帯保証といえども消滅すると判示しているのである。説示はいささか不親切であるが、結果は妥当である。本件においては、債権者は連帯保証人に請求したのであり、その効力は主たる債務に及ぶのであるが、この請求は民一五三条により裁判上の請求・和解の為めにする呼出等をしなければ、中断の効力がないのである。また、債務の承認は請求と異なり、いわゆる絶対的効力を生じないのであるから、主たる債務について時効が完成することを妨げるものでなく、主たる債務が消滅すれば、判旨のごとく、連帯保証人の責任も消滅することは疑いないのである。左に、上告理由と判旨とを掲げる。

上告論旨を掲げることは、冗長のようであるが、必ずしもそうでない。それは、将来、立法政策として、連帯保証について連帯保証人の責任をどのように規定するかという問題を考えてみる必要があるからである。一般の保証については、私は、保証が無償的に行なわれるものであり、たとえ求償権はあつても有名無実に終るのであるから、保証債務の有限制ということを考えている。例えば、一定期間後の解除等。しかし、また、連帯保証というときは、民間では、一般の保証よりも非常に強力なものと考え、特に、商法上の連帯保証の如く、法律上当然発生する場合でなく(商五一一II)、特に、連帯保証を約定した場合には、単に催告検索の抗弁がないというだけでなく(民四五四)、何か主債務者と全く同視できるようなふうに考える傾向あり、これも、実際問題として考えて見なければならぬのである。しかし、これらの立法政策に関する議論は、結局、不履行保険というような社会的な履行確保の合理化の問題にも連なる大問題であり、ここには評論を避ける。要するに、判例の研究においては、単なる現行法の解釈適用ということのみでなく、たとえ判決に反する上告論旨の必死の抗弁の中にも、立法問題としては考えなければならぬものを包含することを見逃してはならぬのである。

【63】「(上告理由) ハ主タル債務者ノ行先不明ナル為主債務者ノ時効満了前ノ期間内ニ於テ連帯保証人ニ対シ支払ヲ請求シ其ノ承認アリタルトキハ其ノ時ヨリ起算シテ時効ノ満了セサル限リ其ノ間ニ於テ主タル債務ノ時効満了スルモ其ノ連帯保証人ハ之ヲ援用シ得サルモノトナササルヘカラス若シ然ラストセハ連帯保証カ既ニ承認セルニ不拘当事者ノ意思ニ反シテ強制執行ヲ強行シテ支払ヲ実現セシムルカ或ハ行先不明ニシテ従テ支払ヲ期待シ得サルコト明カナル主債務者ニ対シ単ニ時効中断ノ目的ノミヲ以テ起訴シ不経済ナル労力

並ニ費用ノ徒費ヲナスニ至ルヘク又主タル債務者ニ対スル時効満了前ニ連帯保証人ヲ差押シタルモ其ノ完結（競売等）迄ノ間ニ主タル債務者ノ時効満了スルトキハ現ニ差押アルニ不拘連帯保証人ハ主タル債務ノ時効ヲ援用シテ其ノ請求ヲ免ルル奇観ヲ呈スルニ至ルヘシ之豈保証ノ本質ニ合シ社会ノ実情ニ応スル解釈ト謂フヘケンヤ夫レ保証人ハ民法第四百四十六条ノ定ムルトコロノ如ク主タル債務者カ其債務ヲ履行セサル場合ニ於テ其ノ履行ヲナスモノタリ本件ノ如ク主タル債務者カ行先不明（此ノ事実ハ相手方之ヲ認ム）ノ為其ノ債務ヲ履行セサルコト明ニシテ保証債務者ノ存置セラレタル理由ヨリ見テ自ラ之カ履行ニ当ルヘキ責任ヲ意識シ連帯保証人カ自己ニ債務アルコトヲ承認シ而モ其ノ承認ハ主タル債務ノ時効満了前ニシテ未タ消滅セサル間ノ出来事ナル場合ニ於テハ其後主債務者ノ時効満了スルモ連帯保証人ノ時効満了セサル限リ保証債務ノ本質ヨリ稽ヘ此ノ場合ハ其ノ保証人ハ主タル債務ノ時効満了ヲ援用シ得サルモノトナササルヘカラス然ルニ原判決ハ之ト反対ノ見解ヲ取リタルモノニシテ破毀ヲ免レスト云フニ在リ

（判決要旨）　然レトモ保証債務ハ主タル債務ニ従属シテノミ存在シ得ヘク主タル債務ノ消滅後独立シテ存続スルコトヲ得サルモノニシテ保証人カ主タル債務者ト連帯シテ債務ヲ負担シタルトキト雖亦何等異ナル所ナシ故ニ主タル債務カ時効ノ完成ニ因リ消滅シタルトキハ保証債務ハ其ノ時効カ中断セラレタル場合ト雖モ消滅セサルヲ得ス然レハ保証人ハ主タル債務ノ時効ヲ援用シテ其義務ヲ免レ得ヘキコト勿論ナリトス」（大判昭一三・三・一八判決全集五・七・一三）。

次の大審院判例もまた同様の趣旨を直截に認め、同時に主たる債務者が時効完成後時効利益を抛棄したときも、なお、連帯保証人は主たる債務の時効を援用し得ることを認めている。

【64】「連帯保証ハ保証ノ一種ニシテ主タル債務ノ存在ヲ前提トセルモノナルカ故ニ主タル債務カ時効ニ因リ消滅シタルトキハ仮令連帯保証人カ主タル債務ノ時効完成前債権者ニ対シ保証債務ヲ負担セルコトヲ承認シタリトテ之カ為ニ保証債務ノミ残存スヘキ理由ナク又時効ノ利益ノ抛棄ハ抛棄者及其ノ承継人以外ノ者

ニ対シ其ノ効力ヲ生スヘキモノニ非サルヲ以テ縦令主タル債務者カ時効ノ完成後時効ノ利益ヲ抛棄シタリトテ連帯保証人モ亦其ノ利益ヲ抛棄シタル事実ノ存セサル限リ連帯保証人ハ尚右ノ時効ヲ援用スルコトヲ得ルモノト謂ハサルヘカラス」（大判昭五・一・二九新聞三〇九二・一五、評論一九民三五八）。

なお、同趣旨の判旨は、大判昭七・一二・二【34】、大判昭一二・四・六（法学六・一〇九五【65】）、大判昭一二・一一・二七（判決全集四・二二・一〇）、大判昭一五・一二・二二（評論三〇民二七五、判決全集八・七・一〇）にも繰返されている。右のうち、昭和一二年の大審院判例を掲げておく。

【65】「連帯保証人が本訴連帯債務を承認し之に因りて該債務の消滅時効が中断したりとするも主債務者の本訴債務に対しては連帯保証人の債務承認に因り時効中断の効力を生ずることなし然り而して右債務者の本訴債務が時効に因りて消滅したることは原審の確定したる事実なるが故に連帯保証人の本訴債務も亦前記債務承認の事実あるに拘らず主たる債務の消滅に因り当然消滅したること連帯保証が主債務に従たる法律上の性質に照して論なき処なり」（大判昭一二・四・六法学六・一〇九五）。

(4)　連帯保証人が債務の免除を受けた場合　連帯保証も保証であるから、本来負担部分なるものはあり得ない。判例として既出の【54】（大判昭四・七・一〇評論一八民一一〇〇）は、連帯保証人が負担部分を有する場合において、その者が債務の免除を受けたときは、その負担部分については主債務者もその債務を免れるとなすものであり、民四五八条によって民四三七条を適用（準用）したものと思われるが、前にも述べたようにむしろ、本件の場合には本来の連帯債務が存する場合ではなかろうかと思われる。保証人には本来負担部分がないのであるから、保証人に対してたとえ全債務を免除しても、主債務者はなんら影響を受けないわけである（注釈民法一一巻二六八頁（椿）参照）。しかし、本来、民四五八条によって準用を見る連帯債務の規定は、前にも述べたように、民四三四条と民四三八条とであるとなすのが殆んど定説である（注釈民法一一巻二七〇頁(椿)）。

(5)　連帯保証人と債権者との混同　連帯保証人と債権者との間に混同が発生した場合につき、昭和七年の大審院判例（大判昭七(オ)一二九一法学二・六・八五）【62】（前出）は、民四五八条により民四三八条を適用（準用）し、連帯保証人は弁済を為したものと看做されるといっている。

しかし、民四三八条の準用については、古くより有力な反対説がある。古くは石坂氏所説によれば（石坂・債権総論中一〇九二―一〇九三頁）、民四三八条を適用して、債権者と保証人間の混同に因つて連帯保証人が弁済を為したるものと看做すときは、連帯保証人は、主たる債務者に対し求償権を有するにすぎないが、この規定を適用しないときは、連帯保証人は、混同により債権者の地位において本来の債権を行使することができるのであり、連帯保証人の地位が非常に有利となるからであるというのである。既述の如くまた、我妻氏（我妻・五〇一頁）も民四三八条を準用しなくても、混同の結果、連帯保証人は債務を免れ債権者となるからそれで支障はないと説く。いずれの説にしても、債権者として主たる債務者に対して本来の履行を請求することとなるのであるが、保証人の求償権は行使し得ないわけであり、民四五九条二項により民四四二条二項が準用せられないこととなろう。

例えば、本来の債務が履行期に到来していないときに混同が発生すれば、債権者は履行の請求を為すを得ない。然るに、民四三八条を準用すれば前に弁済したことになり、求償権が発生する。しかし、この結果が悪いから民四三八条の準用を排斥するという見方もあり得るし、保証人としての保護に欠けるという見方もあり得る。然しながら、石坂氏所説の如く、保証人が債権者の地位において、本来の債権を行使した方が有利であるというのは一考を要する。求償権の行使については、民五〇〇条の代位によることも出来るし、担保も利用し得る。求償権の額は本来の債権額より多いのが通常であると考えるから（民四五九・四四二Ⅱ参照）、その点から、民四三八条の準用を排斥するという考えには急には賛し得ないのである。

然しながら、民四五八条による連帯保証の規定のうち、民四三四条についても立法上の批難あり、いままた、民四三八条準用の必要なしとの見解も現われたのでは、民四五八条の運命まさに窮まれりというべきである。

(6)　連帯保証人が自己の不動産を以て主たる債務のために抵当に供した場合。

【66】「連帯保証人カ自己ノ不動産ヲ以テ他人ノ債務ノ抵当ニ供シタル場合ハ連帯保証人ト物上保証人トノ二資格ヲ兼ヌヘキコト勿論ナルモ其担保スル所ハ唯一ノ主タル債務者ノ債務ニシテ全ク同一ノ目的ノ為ニ二個ノ負担ヲ為シタルモノナルカ故ニ代位弁済ノ場合ニ於ケル他ノ連帯保証人トノ関係ニ於テハ単一資格ノ下ニ其間ニ頭数ニ応シテ債権者ニ代位ス故ニ連帯保証人カ弁済ヲ為シタルトキハ其ノ求償権ノ半額ニツキ物上保証人ニ対シ債権者ニ代位シテ抵当権ノ実行ヲ為スコトヲ得

右ノ場合他ノ連帯保証人ハ民法第五百四条ノ担保ノ喪失ニヨル免責ヲ主張スルコトヲ得ス

（判決理由ノ一）　他人ノ為メニ連帯保証人トナリタル者カ自己ノ不動産ヲ以テ其他人ノ債務ノ抵当ニ供シタル場合ハ連帯保証人ト物上保証人トノ二資格ヲ兼ヌヘキコト勿論ナルモ其担保スル処ハ唯一ノ主タル債務者ノ債務ニシテ全ク同一ノ目的ノ為ニ連帯保証債務ヲ負担シ且物上担保ヲ供シタルモノニ外ナラサルカ故ニ代位弁済ノ場合ニ於ケル他ノ連帯保証人トノ関係ニ於テハ単一資格ノ下ニ其間ニ頭数ニ応シテ債権者ニ代位スルモノト為ササルヘカラス

（判決理由ノ二）　保証人ト自己ノ財産ヲ以テ他人ノ担保ニ供シタル者トノ間ニ於テハ其頭数ニ応スルニ非

サレハ債権者ニ代位セサルモノナルコト民法第五百二条第五号ニ依リ明瞭ナルカ故ニ仮ニ連帯保証人タル上告人カ主タル債務者ノ為ニ弁済ヲ為シタルモノトスルモ其求償額ノ半額ニ付キ物上保証人タル被上告人ニ対シ債権者ニ代位シ其抵当権ヲ実行シ得ルニ止マルモノトス従テ本件ノ場合ノ如ク物上保証人タル被上告人カ債務者ノ為ニ弁済ヲ為シ其求償額中自己ノ負担スヘキ額ヲ除キ他ノ半額ニ付キ債権者ニ代位シ連帯保証人タル上告人ニ対シ求償ヲ為ス場合ニ於テ上告人カ民法第五百四条ニ依リ担保ノ喪失ヲ云為シテ其責ヲ免ル能ハサルハ固ヨリ其ノ処ナリトス」（大判昭九・一一・二四民集一三・二一五三、新聞三八二一・一二）。

(7)　連帯保証人の弁済の絶対効　連帯保証人の債権者に対する弁済・相殺は絶対的であつて、右当事者間の合意だけでその効力を消滅せしめ得ない。次の判例参照。

【67】「（判決要旨）　連帯債務者ノ保証人ハ自己ノ出捐ヲ以テ連帯債務者ヲ免責セシメタル以上更ニ債権者トノ合意ニ因リ其ノ出捐行為ナカリシモノトシテ従前ノ連帯債務関係ヲ復活セシムルコトヲ得サルモノトス

（事実）　被上告人（被控訴人、原告）ハ本訴請求ノ原因トシテ訴外Aハ被上告人ノ先代B及訴外Cヲ連帯債務者トシ訴外Dヲ連帯保証人トシテ金一千円ヲ利息付ニテ貸付ケタル処右Dハ債権者Aト合意ノ上自己カ同人ニ対シテ有スル売買代金債権ノ一部ヲ以テ右貸金元利金ノ債権ト相殺シ該債権全部ヲ消滅セシメタルヲ以テDハ債権者Aニ代位シ其ノ有スル前記債権ヲ行使シ得ヘキ権利ヲ取得シタリ仍テDハ該権利ヲ上告人ニ譲渡シ上告人ハ右債権ニ存スル債務名義ニ基キ被上告人ニ対シ強制執行ヲ為シタリ然ルニDA間ニ為サレタル前記ノ相殺ハ其ノ後当事者間ノ合意ヲ以テ取消サレ其ノ効力ヲ失ヒタルヲ以テ其ノ相殺ニ因リDカ代位権ヲ取得シタルコトヲ前提トスル上告人ノ強制執行ハ許スヘカラサルモノナリト主張シ上告人ハ之ニ対シ仮ニ被上告人主張ノ如ク取消ノ合意アリタリトスルモ一旦有効ニ行ハレタル相殺ハ其ノ合意ニ依リ復活セラルヘキモノニ非ス故ニ上告人ノ為セル強制執行ハ正当ナリト答弁シタリ原判決ハDA間ニ為サレタル相殺取消ノ合意ノ遡及効ヲ無条件ニ是認シAカ被上告人ノ先代等ニ対シテ有セル債権ハ消滅セサリシコトニ帰スト解シテ上告人ノ為シタル強制執行ヲ許スヘカラサルモノナリト判定シタリ

（要旨）　原判決ハ『訴外Aハ被上告人ノ先代B及訴外Cヲ連帯債務者トシ訴外Dヲ連帯保証人トシテ金一千円ヲ利息付ニテ貸付ケタルトコロ右Dハ債権者Aト合意ノ上自己カ同人ニ対シテ有スル売買代金債権ノ一部ヲ以テ右貸金元利金ノ債権ト相殺シ該債権全部ヲ消滅セシメシカ其ノ後更ニDBAハ合意ヲ以テ右ノ相殺ヲ為ササリシコトニ取極メタルヲ以テ之ニ因リ貸金元利金ハ総テ消滅セサリシコトニ帰セシモノナル旨』ヲ判示セリ然レトモ上記ノ如ク右貸金債権ニシテ当事者ノ合意ニ因リ一旦消滅ニ帰セシモノトセハ之ト同時ニ被上告人先代Bハ其ノ連帯債務ヲ免レシモノナルカ故ニ後ニ至リD及Aノ合意ヲ以テシテ一旦消滅セシ債権債務其ノモノヲ復活シ以テ消滅前ニ於ケルト同一ノ権利状態ニ復セシメ被上告人先代Bヲシテ再ヒ其ノ従前ノ連帯債務ヲ負担セシムルカ如キハ右両名ノ為シ得サルトコロナリ蓋同一ノモノヲ遡及シテ再生セシムルコトハ事実上不能ニシテ契約自由ト云フト雖事実上不能ナルコトハ之ヲ為スニ由無ケレハナリ但右両名ノ合意ニ因リ旧債権債務ト等シキ別個ノモノヲ新ニ成立セシムルハ不可ナク而シテ被上告人先代B若ハ被上告人ニシテ右ノ合意ニ同意シ従前ト等シキ連帯債務ヲ負担スルニ異議ナキトキハ同様ノ債務ヲ是認シ得ヘキノミ故ニ之カ判示ニ付テハ少クモ被上告人ノ側ニ於ケル右同意ノ有無ヲ確定セサルヘカラサル筋合ナリトス然ルニ原判決ハ之ヲ確定スルコトナク上告人ノ主張即『Dハ其ノ為シタル相殺ニ因リ当然Aニ代位シ同人カ有セシ債権ヲ行使シ得ル権利ヲ取得セシモノニシテ上告人ハDヨリ該権利ヲ譲受ケシモノナルニヨリ該権利ニ基キ被上告人ニ対シ強制執行ヲ為スモノナリ』トノ主張ニ対シ冒頭判示ノ理由ニ基キ輙クDハAニ代位スルニ由ナキモノノ如ク解シ笹島ノ権利ヲ譲受ケタル上告人ノ強制執行ヲ許スヘカラサルモノナリト断定シタルハ失当ニシテ理由不備ノ違法アリ破毀ヲ免レス」（大判昭三・二・一五昭二(オ)八四七民集七・一二五五、評論一七民六三七）。

(8)　債権者と連帯保証人間における債権の確定判決　債権者と連帯保証人間の確定判決の効力は原則として、主たる債務者に効力を及ぼさない。次の判例は、判決確定により短期時効が一〇年に延びた場合でも、主たる債務者についての短期時効期間には変動なしとするものである。

【68】「(判旨)　債権者と連帯保証人間の判決により債権が確定したるときも当事者の間においてのみ短期時効は一〇年となるにすぎず、主たる債務者との関係においては右確定判決は時効期間につき何等の影響がなく、右債権は依然短期時効に服する」(大判昭二〇・九・一〇民集二四・八二、判批、兼子(賛)・判民昭和二〇年度三八頁)。

三　債権者について生じた事項の効力

債権者が債権譲渡を為した場合には、連帯保証人に対して通知しても、主たる債務者に通知しなければ、連帯保証人に対抗することを得ない。

【69】「(要旨)　債権ノ譲渡ヲ主タル債務者ニ通知セサル限　連帯保証人ニ其ノ通知ヲ為スモ　其ノ譲渡ヲ以テ連帯保証人ニ対抗スルコトヲ得サルモノトス」(大判昭九・三・二九民集一三・三二八)。

この判例では、連帯保証人には通知した場合であるが、元来債権者が主たる債務者に譲渡の通知を為せば、保証人には附従性の効力上、通知する必要がないと解すべきである。既述【61】の判決も、手形債権の取立委任のため裏書譲渡をした場合に手形債務の連帯保証人は当然被裏書人に対しても責任を負う旨判示している。

また、次の判決は、債権譲渡に関し主たる債務者が異議を留めずして承諾したときは、連帯保証人は譲渡人に対抗できた事由をもつて譲受人に対抗し得るとしている。

【70】「(要旨)　主タル債務者カ異議ヲ留メスシテ　指名債権ノ譲渡ヲ承諾シタリトスルモ　之カ為メ連帯保

証人ハ譲渡人ニ対抗スルコトヲ得ヘカリシ事由ヲ以テ譲受人ニ対抗スルコトヲ得ルモノトス」(大判昭一五・一〇・九民集一九・一九六六)。

四　連帯保証人の債務及び責任の範囲

連帯保証人の債務の範囲も亦一般の保証債務の範囲と同一であつて、この点については、民四四七条・四四八条が適用せられる。即ち、一般の連帯債務におけると異なり、態様においても、連帯保証人に関しては主たる債務者より重きことを得ない。従つて、連帯保証成立後、債権者と主たる債務者間に契約期間の延長(東京地判大七・一一・二二、評論八民一四九八)、更新、債務額増加の合意(東京地判大七・一一・二二、評論八民一四九八)があつても、連帯保証人にその効力は及ばない。

連帯保証人の責任は主たる債務と同一であるといつても、保証人において代つて為し得る範囲に止まり、主たる債務者の負つている登記義務の如きは、これを負担するものでないことは当然である(大判大五・四・六民録二二・五八四、評論五民八〇二)。以下連帯保証人の債務及び責任の範囲について変動を生ずるや否やが問題となる各場合を分類して関係判例を説明する。

(一)　主たる債務の更新

【71】「主債務者ノ賃貸借期間更新スルトモ連帯保証人ノ承諾ナキ以上連帯保証人ノ責任ナシ」(大判昭六・三・一一、新聞三二五六・八、評論二〇民三二一)。

(二)　期間延長

また次の東京地裁大正八年の判例は主債務が期限付きである場合には延長に対して制限的である。

【72】「(理由)　契約期間ヲ一ケ年トセル賃借契約上ノ債務ニ付キ連帯保証債務ヲ負担シタル者ハ仮令借主カ右期間後引続キ之ヲ借用シタル事実アリトスルモ新ニ連帯保証ノ責ヲ負ヒタル事実ナキ限リ期限後ニ於ケル賃借人ノ行為ニ付キ其責ヲ負フコトナキモノトス」(東京地判大八・一一・二二、評論八民一四九八)。

これに反し、手形債務についての連帯保証人は、保証契約解除後に振出された延期手形についてもその責任を免れることができないとする判例がある。

【73】「(要旨)　将来振出サルヘキ手形債務ニ付保証契約ヲ為シタル者ハ契約存続中ニ生シタル手形債務ノ延期ノ為該契約解除後振出サレタル手形債務ニ付テモ其ノ責ヲ免ルルコトヲ得サルモノトス」(大判昭九・五・二五民集一三・八四二、判批、石井(賛)・判民昭和九年度二〇七頁)。

(三)　主債務の増減

(1)　賃料値上　家屋の賃貸につき賃料債務について連帯保証をした者につき、かつて京都区裁の判決は大都市における家賃値上の場合には連帯保証人にその効力が及ぶべき暗黙の合意あるものと解すべしとしている(京都区判大一五・一二・一七、新聞二六四三・一三、評論一六民三五六)。借地法一二条、借家法七条の適用により地代・家賃が増額された場合に、連帯保証人が増加額について責任を負うべきかは多少疑いがあるが、その増額が法律上適正なものであるかぎり、民四四七条により、債務に従たるものと解釈すべきであろう。

(2)　仮差押による保全額あるとき　東京控訴院の次の判例では、債権者が主債務者に対する仮差押により保全を得た金額があっても、連帯保証人は全額につきその責を負うものとしている。

【74】「(理由)　被控訴人ハ控訴人Xに対し前記Aの連帯保証人として前記認定の賃料金三百四十円七十四銭に付き支払ひの責あること明かにして控訴人Xが右金額の範囲内に於て仮差押の執行を為し得べきこ

とは論なきところとす被控訴人は仮りに然りとするも本件賃貸借に付き賃借人Aが控訴人に差入れたる敷金十五円及び前記Aに対する仮差押の執行に因り既に保全を得たる内金百十円を控除すべきものなる旨主張すれども右Aが右の如き敷金を差入れたることは之れを確認するに足る証拠なく又被控訴人が本件賃貸借に付き連帯保証を為したるものなること前認定の如くなれば被控訴人は独立して控訴人Xに対し前記賃借人Aの延滞賃料全額の支払を為すべき義務を負担するものなること勿論なるが故に仮りに控訴人Xが賃借人Aに対し其の主張の如き債権保全の仮差押を為したる事実ありとするも之れを控除すべき理由毫も存せず」（東京控判昭一〇・五・三〇、新聞三八六五・五、評論二四諸法五二五、新報四〇八・九）。

（四）主債務が有限責任債務であるとき　有限責任組合、有限会社等の有限責任債務を（無条件に）連帯保証を為した者は、有限会社の債務につき無限的に保証責任を負担する趣旨の判例については、保証債務の附従性と関連して説明した【7】【8】。

（五）主債務の担保の不存在　更に、次の判例は、荷為替手形の割引より生ずる債務について連帯保証を為した者の責任について注目すべき判旨を示している。

【75】「（判決要旨）船荷証券ヲ担保トスル為替手形ノ割引ニ因リテ生スル債務ニ付連帯保証ヲ為シタル者ハ担保ノ船荷証券カ偽造ナリシ場合ニ於テハ特約アルニ非サレハ右債務ニ付其ノ責ニ任セサルモノトス

（事実）原判決ノ確定シタル事実ニ依レハ上告銀行（被控訴人、原告）ハ昭和十年七月十五日訴外合資会社A商店トノ間ニ甲第一号証荷為替約定書（後記参照）記載ノ如キ条項ノ定ニテ荷為替約定ヲ締結シ訴外会社ハ上告銀行ニ対シ右約定債務ノ担保トシテ其ノ所有ノ株券ニ付質権ヲ設定シ被上告人（控訴人、被告）ハ同訴外会社ノ右債務ニ付連帯シテ上告銀行ニ対シ履行ノ責ニ任スヘキ旨ノ連帯保証ヲ約シ其ノ履行ヲ担保スル為自己所有ノ株券ヲ他ノ上告銀行ニ対スル固有債務トノ共同担保トシテ差入レタリ而シテ上告銀行ハ右約旨ニ基キ訴外会社ト取引ヲ継続シ昭和十一年六月二十六日ヨリ同年七月十三日迄ノ間ニB廻漕店発行船荷証券附C会社振出為替手形八通ノ割引ヲ為シ該手形ノ各満期ニ支払人ニ対シ手形ヲ呈示シタルモ支払ヲ拒絶セラレタリ而シテ此等船荷証券ハ孰モ訴外A′（訴外会社ノ代表社員）ノ偽造シタルモノニシテ証券記載ノ貨物（白米）ハ皆無ナリシナリ

（要旨）原判決ノ確定シタル所ハ之ヲ要スルニ被上告人カ訴外合資会社A商店ノ為メニ連帯保証ヲ為シタル主債務ハ貨物又ハ之ニ代ルヘキ船荷証券等ノ証券ヲ担保トスル為替手形ノ割引ニ因リテ右訴外会社ノ負担スヘキ債務ナリ然ルニ本件為替手形ノ担保トシテ上告人カ受取リタル船荷証券ハ右訴外会社ノ代表者A′ノ偽造シタルモノニシテ上告人ハ実質上担保ヲ提供セシメスシテ為替手形ヲ割引シタルニ帰ス故ニ被上告人ハ斯ル為替手形ノ割引ニ因ル債務ニ付テハ保証人トシテ責ニ任スルコトナシト云フニ在リテ原判決ノ挙示シタル証拠ニ依レハ以上ノ認定モ之ヲ為シ得ラレサルニアラス担保ニ供セラレタル証券カ偽造ナリシ場合ニ於テモ為替手形ノ割引ニ依リ上告人ハ手形上ノ権利ヲ取得シ又ハ消費貸借上ノ権利ヲ取得スルニ至ルコトハ所論ノ如シト雖モ之レ担保ナキ債権カ成立スルニ過キス然ルニ主債務ニ担保ノ存スルト否トハ保証人ノ利益ニ多大ノ影響アル所ナレハ主債務ニ担保ノ存スルコトニ著眼シテ保証ヲ為シタル被上告人ノ如キハ本件ノ債務ニ付何等責任ナキコト勿論ナリ若シ夫レ担保ニ供セラレタル証券カ偽造ナリシ場合ニ於テモ保証人ヲシテ責ニ任セシムルニハ其ノ旨ノ特約ノ存スルヲ必要トス斯ル特約ナキニ於テハ偽造ニ因リテ生シタル損害ハ債権者ニ於テ之ヲ甘受スヘク被上告人ノ如キ保証人ニ之ヲ帰セシムルヲ得ス（尚此ノ特約ノナカリシコトニ付テハ論旨第四点ニ対スル説明ヲ参照スヘシ）論旨ノ縷述スル所ハ原判決ヲ正解セサルニ出テ理由ナシ」（大判昭一五・六・二八民集一九・一〇八七）。

また、次の判例は担保品（貨物引換証）に関係なく連帯保証の責を負う旨の約定があれば、その担保が空券であつた場合でも、保証の責任を免れないとしている。

【76】「控訴銀行ハ米穀商ナル訴外Aトノ間ニ昭和八年八月一日荷為替取組手形割引其ノ他ノ方法ニ依ル取引ニ関シ契約ヲ締結シ同時ニ該取引ヨリ生スル右Aノ債務ニ付被控訴人ニ於テ連帯保証ヲ為シタル事実訴外Aハ爾来右契約ニ基キ控訴銀行ト荷為替ノ取組ニ依リ取引ヲ継続シ来リタルトコロ右Aノ養子ニシテ十数年来同人ヨリ業務一切ヲ一任セラレ営業ニ関スル万般ノ行為ヲ為シ来リタル訴外BハAノ代理人トシテ同人名義ヲ以テ昭和九年六月中控訴人主張ノ日ニ其ノ主張ノ如キ(一)乃至(十)ノ各為替手形ヲ控訴銀行宛ニ振出シ控訴人主張ノ(一)乃至(十)ノ各貨物引換証（訴外C及D運送株式会社発行）ヲ担保トシテ之ヲ右手形ト共ニ控訴銀行ニ交付シ其ノ割引ヲ受ケ以テ控訴銀行ト荷為替取組ヲ為シタル事実控訴銀行ハ該手形金ノ支払ヲ受クル為取引銀行タル訴外E銀行及F銀行東京支店ニ対シ取立委任ノ裏書ヲ為シ該手形ヲ交付シタルトコロ右貨物引換証ハ孰レモ前記CカBノ求メニ依リ同人ヨリ委託運送貨物タル玄米ノ引受ヲ受ケスシテ発行交付シタル所謂空券ナリシ為該手形ハ孰レモ不渡ト為リ受託銀行ヨリ返付セラレタル事実ヲ認ムルニ足ル(中略)被控訴人ハ荷為替取組ノ方法ニ依リAカ控訴銀行ニ対シ負担シタル債務ニ付テノミ保証ヲ為シタルモノナレハ其ノ責任ノ範囲ハ担保物ニ依リ弁済スルコト能ハサル部分ニ限ラルヘキモノナリ従テ本件ノ如ク真ノ荷為替取引ニアラスシテ所謂空券ヲ担保トシテ為シタル取引上ノ債務ハ被控訴人ノ保証責任ノ範囲外ナリト抗弁スルヲ以テ按スルニ甲第十二号証ナル控訴銀行トA間ノ前記契約書ノ冒頭ニ割引荷為替取組及手形其ノ他ノ取引致候ニ付左記ノ諸件ヲ約定致候ト記載シアリ又其第十四条ニ拙者カ貴行ニ負担スル一切ノ債務ニ付テハ総テ本契約ニ拠リ担保品ニ拘ラス債務者及保証人連帯シテ弁済ノ責ニ任シ可申候トノ定アリテ之ニ被控訴人モ保証人トシテ署名捺印シ居ル事実ニ徴スレハ該契約ニ基ク控訴銀行トA間ノ取引ハ被控訴人ノ謂フカ如ク荷為替取引ノミニ限ラレタルモノニアラスシテ又被控訴人ニ於テモAカ控訴銀行トノ取引ニ於テ負担スル一切ノ債務ニ付担保品ニ関係ナク連帯保証ノ責ニ任スヘキ旨ヲ約シタルコト明ナルヲ以テ前段認定ノ如ク本件

為替手形債務ニ付Aニ於テ其ノ責ニ任スヘキ限リ縦令其ノ担保タル貨物引換証カ空券ナリシ為担保タルノ効果ヲ発生セサリシトスルモ被控訴人ハ之カ保証ノ責任ヲ免レ得サルモノトス」（宮城控判昭一一・六・二三新聞四〇二五・一三）。

また、手形貸付を受け、若くは荷為替手形の取組を受けた支払債務につき連帯保証をしたものは、既存の債務のみならず将来発生する債務をも保証するものと解すべきであるとの判旨がある（千葉地判大一二・一一・三〇評論一二商九九）【118】。この判旨については後述（五（六））参照。

（六）　連帯保証債務のみに関する違約金損害賠償額の予定　　連帯保証債務についてのみ、特に違約金又は損害賠償の額を約定し得ることは民四四七条二項により当然であつて、これは民四四八条の趣旨に反するものではない。なお、債務不履行の不完全にもとづく損害についてもまた保証人に連帯の責任がある（東京地判明四五・七・一一、新聞八一五・一九、評論一商一六四）。

【77】「（要旨）　保証人は其保証債務に付てのみ違約金又は損害賠償の額を約定することを得るは民法第四百四十七条の規定する所にして其特約は主たる債務者の不履行に因る損害の賠償に非ずして保証債務の不履行に因る損害賠償に関するものなるを以て此特約あるが為め保証債務が主たる債務より重き体様又は目的を有するものと論断するを得ず」（東京地判明四三（ワ）一六二四号、新聞七一三・二二）。

（七）　代理店主の連帯保証人の責任　　また、次の判例は、保険会社の代理店主の連帯保証人の責任について、代理店主の過失によって連帯保証人が免責せられる場合があることを認めている。

【78】「（要旨）　保険会社ノ代理店主カ会社ヲ代理シテ保険契約ヲ為シタルコトノ通知ヲ怠リタルニ因リ同会社ニ於テ再保険ニ付スル機会ヲ逸シ為ニ実損害ヲ被ルモ該損害ハ特殊ノ事情ニ因リ生シタルモノナレハ特約無キ限リ右代理店主ノ連帯保証人ハ之カ賠償責任無キモノトス」（大判昭一〇・五・二七民集一四・九四七）

（八）　連帯根保証人の責任　　なお、前述（一の二(二)(1)）の、根保証における連帯保証人の責任限度について一言する。

大阪高裁昭三八・一一・一八の判決は、連帯保証人が同時に同一債務について根抵当を設定している場合に、根抵当の実行（任意売却）によつた売得金を以て、債務を弁済する場合に保証人の責任に如何なる効力を生ずるかが争われた事件に関するものである。

事案の概要は、YはX信用金庫に対し、訴外B会社がXとの手形取引契約によりXに対し現在及び将来に負担することあるべき手形債務及びこれに対する日歩四銭の割による遅滞損害につき、元本限度額を七〇〇万円として、これを担保するため、Y所有不動産に根抵当を設定し、かつ、右限度額においてB会社のため連帯保証をした。Xは昭和三一年末、手形取引契約を解除し、その時の計算では元本債務三七〇〇余万円、これに対する約定遅延損害金九八〇万円となつていた。Xは、連帯保証人Yに対し、極度額七〇〇万円及びこれに対する昭和三二年八月末迄の遅滞損害金二五〇万円の支払を求めた。Yは根抵当権を実行されていた不動産について、合意のうえ任意売却し、その売得金で四二〇万円を弁済したから、右弁済の限度で保証債務を免れたと抗弁し、Xは右のうち、二五〇万円は既存の手形債務の遅延損害金に充当し、一七〇万円は限度額七〇〇万円をこえる元金債務の部分に全額充当したから、Yの債務は七〇〇万円残存するといつて争つた。一審では七〇〇万円から、四二〇万円を差引いた残額とこれに対する三二年八月三一日以降の遅滞損害金を認め、控訴審判決では、YからXへの内入弁済については、Yからの弁済充当の指定がなかつたので、Xは、三七〇〇余万円に対する約定損害金九八〇余万円に充当したと主張するが、前記内入金が抵当物件処分による売得金を以て為されたのであり、根抵当の限度額が七〇〇万円であることに照し、七〇〇万円に対する昭和三一年三月末における約定損害金二〇〇万円弱の範囲をこえる右充当は不当であり、右弁済金二五〇万円と右二〇〇万円弱との差額五〇万余円は本来Yの負担すべき手形債務限度額七〇〇万円に充当される。前記Yの一七〇万円の内入は、Yの負担する手形債務の元本へ充当されたことが認められるというのである。

【79】「(判決要旨)　甲の継続的手形取引契約から生ずる債務を担保するため、乙(Y)がその所有不動産に元本極度額七百万円の根抵当を設定し、同時に右金額の連帯保証人となつた場合、右根抵当権の実行開始(当時の債務三千万円以上)後、乙(Y)が債権者と合意の上根抵当権設定契約を解除して抵当物件を任意売却して得た金を以て債権者に一部弁済したとき、右弁済は、まず七百万円に対する遅延損害金に充当され、その残額だけ乙の保証債務額(元本)が減少する」(大阪高判三八・一二・一八金融法務事情三六一(昭三八・一二・二五刊行)・三)。

本判例は「元本限度額七〇〇万円」という表現の解釈問題と関連し、種々な結論が導かれるのであるが、高裁判決の判旨は論理的には妥当だと思われる。将来根保証・根抵当契約については、契約の中でこれらの点を明確にすることが期待せられる(なお、西原道雄氏評釈ジュリスト一九六六年一月号、銀行取引判例百選一四〇頁参照)。

なお、次の判例は、連帯根保証の責任が保証人の死後の主債務に及ばないことを判示している。

【80】「(要旨)　将来負担スルコトアルヘキ債務ニツキ連帯保証ヲ為シタル者ハ自己ノ生存中ニ発生シタル主債務ニツキ保証責任ヲ負担スヘク其死後ニ生シタル主債務ニ付之カ責ニ任セサルハ自明ノ理ニシテ右保証義務ハ一般身元保証義務ト同シク特別ノ事由ナキ限リ保証人ノ死亡ニ因リ消滅シ相続人之ヲ承継セサルモ

ノト解スヘシ」（大判昭一〇・一〇・二三、裁判例九・二五七）。

五　連帯保証人の主たる債務者に対する求償関係――連帯保証人に負担部分なるものありや　主たる債務者と連帯保証人間の求償関係は、一般の保証の場合と異ならない。即ち、民四五九条以下が適用せられる。元来、保証債務は、主債務に代つて履行の責任を負う形で、主債務の履行を債権者に対して担保するものであるから、保証人に負担部分というものはないというのが原則である。即ち、連帯債務における負担部分（疑いある場合は平等（民四二七））の如きものを認める余地がないのが原則である。

しかし、負担部分という観念は、債権者に対する関係において云われるものと、主債務者・保証人間において云われるものと、二様のものがあり、法律にいう所の負担部分は、いわゆる外部関係、即ち債権者対保証人の関係で云われるものが本則である。しかして、この点から云えば連帯保証契約において、特に保証人の負担部分を約定することは、無効ではない。保証人の責任を有限的ならしめる合意は、もとより有効であり、その反対に保証人の負担部分を、債務の半額にするというような合意も不可能でない。ただかような債権者に知られている負担部分を定めたときは、民四五八条の適用によつて、準用せられる民四三四条乃至四四〇条の規定のうち、負担部分の存在を前提とする規定が先述の理論に反して準用を見ることになる。

次に、連帯保証人が事前の求償を得たときである。求償を受ける根拠は必ずしも民四六〇条の適用ある場合に限らないのであつて、連帯保証人と主たる債務者との間の自由契約、あるいはまた、主たる債務者に対し、連帯保証人が別途の債権を有することにより、予め相殺予約を為す場合もあり得る。全額の事前求償を得た場合には、連帯保証人は、この事由を知れる債権者に対しては、全額負担の連帯保証人となる。これに反し一部の事前求償、一部の相殺予約にあつては、一部の負担部分を連帯保証人が有することとなる。商法五一一条二項の適用による連帯保証についても、前述の如き、合意による、または事前の求償の結果生ずる負担部分が発生し得る。また、負担部分には主債務者と保証人の内部関係だけに効力のある負担部分もあり得る。即ち、債権者になんら影響なき負担部分である。しかし、この種のものは対外関係にはなんら影響を及ぼさないものといわなければならぬ。

次にわが国の判例を見るに、原則として連帯保証人にはいわゆる負担部分なるものなく、連帯保証人が弁済したものは悉く主たる債務者に求償し得る。このことは既に古い頃の控訴院判決以来認められている所である。

【81】「保証は従たる債務なるを以て主たる債務者と保証人と連帯して債務を負担する場合と雖も主たる債務者と保証人との間に於ては主たる債務者に全部負担の責任ありて保証人に負担部分なしと謂はざる可らず」（東京控判明四四・二・一六新聞七〇八・二四）。

しかして、商人たる保証人が主たる債務者に対して有する求償権は、商行為に因りて生じた債権である（同旨、大判昭六・一〇・三民集一〇・八五一）。また、連帯保証人が他にも存するときは、主たる債務者に対し求償すると他の連帯保証人に対し、その負担部分に応じて求償するとは、求償権者の自由であるとする判例がある（東京控判大二・二・八新聞八五二・二一、評論五民八〇二）。ただし、この判例は連帯保証人相互間に連帯関係を認めることを前提とするものである。なお、連帯債務者のため連帯保証を為した場合に、該債務の弁済を為したときは、四四二条は準用せられない。

【82】「連帯債務者ノ為連帯保証ヲ為シタル者カ該債務ノ弁済ヲ為シタル場合ニ付テハ民法第四四二条ハ準用ナク主タル債務者ノ負担部分ノ如キハ連帯保証人ノ求償権ニ消長ヲ来ササルモノトス」(東京控判昭九・二・一三、評論二三民四一二一六新聞三六八八・)。

連帯保証人が主たる債務者に対し求償権を行使し得る範囲につき、次の判例は執行手数料及び執行費用も、包含する旨判示している。

【83】「被控訴人は控訴人の支払ひたる執達吏手数料及執行費用は何れも控訴人の怠慢の結果生じたるものなるが故に此部分に付きては控訴人に之が求償に応ずべき義務なき旨抗弁すれども執行を受くること自体が直に怠慢の結果に出でたるものとは為し難く且つ控訴人の支払たる右執達吏手数料及執行費用の如きは民法第四百四十二条第二項に所謂避くることを得ざりし費用に該当するものと認むるを至当とすべきを以て被控訴人の抗弁を正当ならしむべき事由なき限り此の部分に付ても被控訴人に於て之を分担せざるべからざるは勿論なりと謂ふべし」(東京控判大九・三・一九新聞一七六四・一七、評論九民三七六)。

また、次の判例は、連帯保証人が弁済資金を獲得するために抵当権設定登記を為したる登記費用は民四四二条二項の避くることを得ざりし費用として求償の目的となるとしている。

【84】「連帯債務者ノ一人カ自己所有ノ不動産ヲ抵当トシテ弁済資金ヲ銀行ヨリ借入レタル場合ニ於テハ右抵当権設定登記ニ要スル費用ハ民法第四四二条第二項ニ所謂避クルコトヲ得サリシ費用ト云フニ該当スルモノトス」(大判昭一四・五・一八民集一八・五六九)。

次の事案は、連帯保証人が主たる債務につき時効が完成した後で、自己の債務を承認して弁済した場合においても、右の連帯保証人は、主たる債務者に対し求償権を行使し得るやに関するものであって、かかる場合には、もとより、求償権を行使し得ないと為す東京控訴院判例がある。事案は連帯保証人が数人ある場合であって、右の弁済保証人は、他の連帯保証人に対しても、たとえ弁済前に履行の請求ありたることを他の連帯保証人に通知した場合でも求償権を行使し得ない（保証連帯が成立するものと解し、その負担部分についての意味）としている。なお、本判決は、右の連帯保証人の弁済が債権の準占有者に対する善意の弁済なるため、弁済としては有効であるとみなされた場合に関する。念のためその点に関する判旨も掲げる。

【85】「（要旨）　連帯保証人ノ一人トシテ為シタル弁済カ債権ノ準占有者ニ対スル善意ノ弁済トシテ有効ナリトスルモ主タル債務ノ消滅時効完成後ナルトキハ右弁済ニ因リテハ他ノ連帯保証人ニ対スル償還請求権ハ成立セサルモノトス

前叙連帯保証人カ右弁済前民法第四百四十三条第一項ニ従ヒ他ノ連帯保証人ニ対シ債権者ヨリ請求ヲ受ケタルコトヲ通知シタルニ対シ当時他ノ連帯保証人ニ於テ時効ヲ援用スルコトナク本控訴ニ於テ初メテ之ヲ援用シタルモノナリト雖前記弁済前既ニ時効ニ因リ債権カ消滅セル以上右ノ通知アルモ之ニ因リ既ニ消滅セル債権ヲ復活セシメ償還請求権ヲ成立セシムルモノニ非ス

（理由）　控訴人ハ昭和八年七月五日訴外Aカ債務者等ニ対シ強制執行ヲ為シタルニ因リ時効中断シタリト主張スレトモ控訴人主張ノ強制執行ハ時効完成後ナルヲ以テ固ヨリ時効中断ノ効力ヲ生スルモノニ非ス果シテ然ラハ控訴人カ連帯保証人トシテ株式会社B銀行ニ対シ弁済シタリト主張スル日時ハ昭和六年三月二十七日ナルヲ以テ該弁済カ仮ニ控訴人主張ノ如ク本件債権ノ準占有者ニ対スル善意ノ弁済トシテ有効ナリトスルモ叙上ノ如ク時効完成後ナルカ故ニ右弁済ニ因リテハ被控訴人等ニ対スル償還請求権成立セサルモノト解ス

ルヲ相当トス尤モ控訴人主張ノ如ク右弁済前控訴人ハ民法第四百四十三条第一項ニ従ヒ被控訴人ニ対シ昭和六年三月十九日付書面ヲ以テ債務者ヨリ請求ヲ受ケタルコトヲ通知シタル事実ハ成立ニ争ナキ甲第十乃至第十五号証ノ各一、二ニヨリ明ニシテ被控訴人等ハ右通知アリタル当時時効ヲ援用スルコトナク本訴ニ於テ初メテ之ヲ援用シタルモノナリト雖モ控訴人ノ弁済前既ニ時効ニ因リ債権カ消滅セル以上右ノ通知アルモ之ニ因リ既ニ消滅セル債権ヲ復活セシメ償還請求権ヲ成立セシムルモノト解スルヲ得ス従テ控訴人カ連帯保証人ノ一人トシテ弁済シタルニ因リ他ノ連帯保証人タル被控訴人等ニ対シ負担部分ニ応シ償還ヲ求ムル本訴請求ハ他ノ争点ニ関スル判断ヲ俟ツ迄モナク失当ナルニヨリ之ヲ棄却スヘキモノトス」（東京控判昭九・八・九評論二三商五八二、新報三七五・二一）。

六　数人の連帯保証人ある場合の連帯保証人相互の関係——分別の利益、負担部分の問題、その他求償関係

数人の連帯保証人がある場合は、各連帯保証人は債権者に対し、各自全額の保証債務を負担すると共に、各保証人は催告、検索の抗弁権を有しないことは云う迄もない（民四五四）。しかし、その結果として、次の諸点が導かれ、或は又問題が提示せられる。

（一）　連帯保証人間に分別の利益はない　一般の保証債務者が複数である場合には、その間にいわゆる分別の利益が存する（民四五六）。しかし、連帯保証においては、各連帯保証人は、主たる債務者と連帯して各自全額の弁済を為すべき関係があるのであるから、分別の利益を有しない。判例は、往々にして、連帯保証人間に連帯の特約がなくても、分別の利益を有しないという表現をとつている。その趣旨は各保証人間に連帯の特約があれば、直接にその連帯の特約によつても分別の利益が排除せられるが、連帯の特約がなくても、各連帯保証人は前述の理由により、全額弁済の義務があるからだとい

うのであろう。しかし、ここで注意しなければならぬことは、分別の利益ということは各連帯保証人相互の問題であると共に各連帯保証人と債権者との関係であるということである(民四五六)。だから、本来、連帯の特約なるものは連帯保証人間の特約でなくして、債権者との間の(債権者も入れての)特約であるべきであるということである。さればまた、ある判例が「分別の利益がないことをもつて、各連帯保証人が「予メ分別ノ利益ヲ抛棄シタ」ことに因るものだとしていることは、債権者との間の連帯の特約の解釈として見れば首肯できる。しかし、分別の利益なきことは、連帯の特約とは関係なく、又商法上の連帯保証でも同じことであるから(商五一一II)、むしろ連帯保証に関する規定の解釈上、連帯保証人の責任が主たる債務者の如くあるべしという点に基づいていると解すべきである(民四三二・四五四・四五八、前掲注釈一一巻民法二五六頁(西村)。結局同旨)。

(二)　各連帯保証人相互間に連帯関係が発生するか　この点は後に述べるように判例でも争われている処である。厳格にいえば、特に、各保証人間に連帯の特約がある場合は格別、そうでない限り、当然、連帯関係が発生するという根拠に乏しい。ただし、商事連帯保証においては商五一一条一項(二項は、主債務者と保証人との連帯を規定したものである)によつて、数人の連帯保証人間においても、連帯関係が発生するといい得る。

商事連帯保証でない普通の連帯保証においては、特約なき限り、保証人相互には連帯関係がないから、一連帯保証人に請求があつても、民四三四条によつて、他の連帯保証人にその効力を生ずるものではない。

(三)　特約による負担部分　連帯保証人相互間に、特約または、商法の規定により連帯関係があるときは、保証人相互には負担部分があり得る。これは連帯の特約によつて定まるが、その他、特に負担部分を異にすべき原因なき限り結局平等となる。この負担部分は、連帯保証人の一人が弁済をしたときに、主たる債務者に対する求償権が主たる債務者の無資力なるため、他の連帯保証人に対し求償する場合に表面化する。

しかして、連帯保証人間に連帯関係なき場合においては、一連帯保証人が弁済したが、主たる債務者が無資力なるため求償の実を挙げ得ないときは、どうなるか、弁済した保証人のみの損失となるか。この点は問題であるが、民四六五条の準用が認められ(本来連帯関係がないから準用といったのである)、結局、連帯債務者間の求償と同じように取扱われ、連帯保証人間の不公平が救済せられるものと解せられる。蓋し、民四六五条は数人が同様の弁済義務を負う場合における数人間の利害の公平なる分配を目的とする趣旨の立法だからである。

(四)　判例の個別的研究　　さて以上の所論を念頭に入れて、次にわが国の判例がこの問題を如何に取扱つているかを検討する。

先ず分別の利益の有無についてであるが、次に掲げる【86】は、明治三九年の大審院判例であつてやや古いものであるが、早くも分別の利益なきことを判示し、その次の【87】は同旨を踏襲しつつ、かつ、連帯の特約なき場合といえども、分別の利益なき趣旨を条文に沿つて認定したものとして、その後の判例に対し指導的な地位を占めたものである。

【86】「本件ニ於ケルカ如ク、数名ノ保証人カ各自主タル債務者ト連帯債務ヲ負担セル場合ニ於テハ保証人ハ連帯債務ノ法則ニ従ヒ債権者ノ請求ニ応シ一人ニテモ債務全部ノ履行ヲ為ササル可カラサルコトハ民法

第四百三十二条及ヒ第四百六十五条第一項ニ徴シテ之ヲ知リ得ヘキヲ以テ民法第四百二十七条ノ規定ハ此ノ場合ニ適用スルコトヲ得サルハ明瞭ナリ」(大判明三九・一二・二〇民録一二・一六七六)。

【87】「(判旨第二点中)　然レトモ原院ノ認定シタル事実ニ依レハ上告人Xハ訴外Aト共ニ主タル債務者上告人X'ト連帯シテ保証債務ヲ負担シタルモノニシテ右保証人間ニハ連帯ノ特約ナシト雖モ民法第四百五十四条ノ規定ニ依レハ主タル債務者ト連帯シタル保証人ハ孰レモ債権者ニ対シ先訴ノ抗弁及ヒ検索ノ抗弁ヲ提出セスシテ各自債務ノ全額ヲ弁済スルノ責ニ任セサルヘカラサルモノナレハ保証人間ニ債務分割セラルルモノト謂フヘカラス故ニ第四百五十六条ノ規定ヲ適用スルコトヲ得ス」(大判大一〇・五・二三民録二七・九六三、判批、我妻・判民大正一〇年度二三〇頁)。

しかして、次の判例は更に進んで負担部分の割合に言及すると共に、一保証人が自己の負担部分以上の弁済を為した場合に於て、他の各保証人に対しその負担部分に応じて求償を為し得べく、ただし、他の保証人中その負担部分を弁済した者あるときは、これに対しては求償を為し得ないと判示している。

【88】「(要旨)　一、数人ノ保証人カ各自債務者ト連帯シテ債務ヲ負担シタル場合ニ於テハ保証人相互間ニ連帯ノ特約ナキトキニ於テモ債権者ニ対シテハ分別ノ利益ヲ有セスシテ各自債務ノ全額ヲ弁済スルノ責ニ任ス

二、然レトモ保証人相互ノ間ニ於テハ特約ナキ限リ平等ノ負担部分ヲ有スルモノニシテ此点ハ保証人間ニ連帯ノ特約アリタル場合ト異ナルトコロナキモノトス

三、従テ如上ノ場合ニ於テ保証人ノ一人カ債務ノ全額又ハ自己ノ負担部分以上ノ弁済ヲ為シタルトキハ他ノ保証人ニ対シ求償ヲ為スコトヲ得ヘシ然レトモ他ノ保証人中既ニ自己ノ負担部分ヲ弁済シタル者ニ対シテ求償ヲ為スニ由ナキモノトス」(大判大八・一一・一三民録二五・二〇〇五)。

なお、判例【89】は、数人が保証人として連帯債務を負担したときは、分別の利益はこれを抛棄した

るものと解すべきであるといつて、分別の利益が存しないことを意思解釈に求めている。しかし、他の判例は、むしろ連帯保証の性質は主たる債務者と連帯して全部の義務があることに依るべきであるとなすものが多い。

【89】「(要旨)　数人カ身元保証人トシテ将来ノ債務ニ付キ主タル債務者ト連帯シテ債務ヲ負担シタル場合ニ於テハ分別ノ利益ハ之ヲ抛棄シタルモノト解スヘキモノトス」(東京地判大五・四・一八評論五民三三八、同旨、東京地判大五・五・一三新聞一一三八・二一)。

連帯保証人間に分別の利益なきことについては、前掲判例以外に何度も繰返されて判示せられている。その主なるものを年代順に列記する。東京控判明四三・二・二六(新聞七〇四・二三)、東京地判明四五・六・五(新聞七九九・二四)、大判大六・三・六(民録二三・四七三、民抄七二・一六〇七)、大判大六・四・二八(民録二三・八一二、民抄七二・一六三一)、東京控判大一三・一〇・一四(新聞二三三二五・二三)、大判昭六・六・二六(新聞三三一六・一七、評論二〇民一〇三五)、大判昭六・一一・二(新聞三三二四一・九)、大判昭七・六・一八(新聞三四四七・一五、評論二一民七八六)、大判昭一一・一一・四(新聞四〇六三・一八、評論二五民一〇五四)。

次に、連帯保証人相互間に連帯関係が発生するか否かについての判例に考察を加える。先ず、連帯保証人相互間に連帯の特約がある場合は問題はない。

元来、連帯保証債務といえどもその関係は、一般の保証と同じく債権者と特定の連帯保証人との間に発生するものであり、それが契約によつて生ずるか、法律の規定(例、商五一一Ⅱ)によつて生ずるかは問う所でない。しかして、この場合連帯保証人相互が、債権者も入れて(債権者も承知の上で)特約で連帯関係を成立せしめる特約を為すことは有効であり、特に、一個の契約書に数名が連帯保証人として連署しているような場合には、連帯保証人間にも連帯関係が発生するものと認め得る場合が、契約解釈としてあり得る。次の判例は、原審が簡単に連帯関係を認めたのを、大審院でそのためには積極的立証を要するとしたものである。

【90】「原審ノ認定シタル事実ハ被上告人及ヒＡハ訴外Ｂノ債務ニ付夫々同人ノ為連帯保証ヲ為シタリト云フニ過キサルニ拘ラス原審ハ該事実ニ基キ被上告人及Ａ相互間ニモ亦当然連帯ノ関係アルモノト為シ従テ又Ａニ対スル債務免除ノ効果トシテ同人ノ被上告人トノ間ニ於ケル負担部分ノ範囲ニ於テ被上告人ノ債務ハ消滅シタリト判定シタリ然レトモ数人カ一主債務者ノ為夫々連帯保証ヲ為シタレハトテ之カ為当然ニ保証人相互間ニ於ケル連帯関係ヲ生スルモノニ非サルカ故ニ原判示ノ如ク被上告人及Ａニ連帯関係アリト為サンカ為ニハ其事実ヲ認定スルコトヲ要スルヤ勿論ナリ」（大判昭四・七・一〇評論一八民一一〇〇）。

また、次の判例は極めて平明に数人の連帯保証人の関係を説明している。しかして、連帯保証人相互の関係についてはなんら触れるところがないのはむしろ連帯関係を否定する趣旨かと考えられる。

【91】「（判決理由）然レトモ一ノ主債務ニ付数人ノ連帯保証人アル場合ニ於テハ其保証人ハ債権者ノ請求アルトキハ孰レモ主債務者ノ負担セル債務ノ全額ニ付弁済ノ義務アルコト言ヲ俟タス但如上各保証人ノ債務ハ本ト唯一ノ主債務ヲ弁済スヘキ義務ニシテ別個無関係ノモノニハ非サルカ故ニ其中弁済ヲナス者アラハ其範囲内ニ於テ他ノ保証人ハ弁済ヲ為スヲ要セサルニ至ルコトモ論無シ主タル債務者ト各保証人トノ間ニ於テモ其何レカカ弁済ヲ為ストキハ他人ハ右同様其債務ヲ免ルヘキコト亦多ク言ヲ須キス」（大判昭六・一二・一九新聞三三六五・一三、評論二一民二二五）。

なお、次の判例は、いわゆる連帯保証人間の連帯の特約の意義について注目すべき判旨を掲げ、この特約が畢竟、連帯保証人間の求償に関するものに他ならぬことを判示している。

【92】この判決は、連帯の特約の解釈に関するものであるが、判決では連帯保証人間の求償関係につき、各連帯保証人間に各負担部分に応じ求償権を認め、ただし本件事案については原審が

『他ノ連帯保証人並主債務者ニ対シ其ノ各自ノ負担部分ニ付求償権ヲ有ス』ト判示シタルハ如何ナル根拠ニ出テタルヤ得テ知ル可カラス理由ノ不備ニ非サレハ即チ審理ノ不尽ヲ免レス」と判決したのである。しかし判例の事実では保証人相互間に連帯を特約したことを認めている。この点につき判決では「保証人相互ト云ヘハ其ノ求償権ノ関係ナルハ言ヲ俟タス而モ此関係ニ於テ連帯ナリトハ何事ヲ意味スルヤ読ミテ字ノ如クナレハ即チ各自ハ互ニ全額ヲ請求シ又全額ヲ弁済シ転々シテ止マサルコト循環ノ端無キニ似タリ豈斯ル理アラムヤ唯之ヲ解シテ以テ保証人中ノ或者ノ求償ニ対シテ他ハ連帯スト為ストキハ始メテ義アリ」といい、保証人相互の連帯特約は、求償債務に関する連帯責任を定めたものとしているのである（大判昭一〇・一一・一九裁判例九・二八四）。

次に然らば、連帯保証人間の連帯の原因となるような契約上の根拠のない場合には、連帯関係は認められないか。私見は前述の如く、商事連帯保証においては、なお商五一一条一項の適用上（この規定は民四二七条の特則として広く解すべきである）、連帯が発生するが、その他においては連帯関係は発生しない。ただし、数人の連帯保証人の一人が弁済し、主たる債務者に対し求償権が発生した場合において、主たる債務者が無資力な場合或は更に他の連帯保証人に無資力者が生じた場合には、数人の保証人間の利害を調節するため民四六五条に従つて、連帯債務者間の求償権と同じ法則が準用せられると解するのであるが（これを準連帯という）、この点に関する判例には相反する趣旨のものが存する。学説も民四六五条の全額を弁済すべき特約には連帯保証も入るとしている（コンメンタール四・二二〇頁参照）。

判例を見ると、まず或判例は、連帯保証人間に、特約なきかぎり一般の連帯保証人間の連帯関係は発生しないと為し、しかも次に掲げる判例は商事連帯保証についても連帯関係を否定しようとしている。

【93】「（判決理由）　按スルニ手形保証人ハ各自独立シテ其保証シタル金額ニ対シ債務ヲ負担スル者ニシテ連帯債務者ニ非ス又手形保証人ト民法上ノ保証ヲ為シタルモノ（縦令其保証カ商行為タルトキ及ヒ主タル債務カ商行為タルトキト雖）トノ間ニモ連帯債務者ノ関係ヲ生スヘキモノニ非サルコトハ寔ニ上告人所論ノ如シ」（大判大三・七・三民録二〇・五七六【121】参照）。

次の判例もまた、当然商事連帯保証になる場合と考えられるが、判旨によれば、数人の連帯保証人があるからといつて、必ずしも、それだけで各保証人相互に連帯関係あるものと推定することはできない。このことは会社の取締役が保証人として会社と連帯の債務を負う場合と雖も理論を異にしないとしている。

【94】「（理由）　訴外株式会社A商会が経営せる無尽講を中途に於て廃し、加入者に対し従来積立てたる金額を返還することとなり、大正三年八月十一日加入者たる控訴人Xに対しては、其積立金三五二円を大正四年八月十八日迄に返還すべく、同X^1に対してはその積立金三七六円を大正五年一月二十八日迄に返還すべく、同X^2に対してはその積立金三六七円を大正四年十一月八日迄に返還すべきことを約したる事実は当事者間に争なき所とす而して成立に争なき甲第一、二、三号証によれば各証の本文に本債務（本件積立金返還債務）に対しては保証人は会社と連帯の債務を履行可致云々の文言あり、各被控訴人は之に署名し其肩書に保証人なる文字あるを以て各被控訴人は株式会社A商会の為め保証を為し主たる債務者と連帯して本件積立金返還債務の弁済を約束したることを認むるに十分なり……然らば被控訴人等は各自本件積立金返還債務に就き会社の為め連帯保証を為したるものとして其の責に任ぜざるべからず、而して右返還債務の弁済期は……孰れも今日に於ては已に弁済期の到来せること明かなれば控訴人等は各被控訴人に対し連帯保証債務の履行を求むる本訴は正当なりと云はざるべからず、唯各保証人相互間連帯責任の事実は之を認むべき証拠なきを

以て控訴人等の請求中各被控訴人に対し連帯して支払を求むる点は失当にして排斥せざるべからず」（東京控判大五・八・五新聞一一四六・一九）。

しかしながら以上の判例に反し、古くからある判例であるが、数人の連帯保証人相互の間にも連帯関係が発生することを認め、かつ、その間に各負担部分が存在し得べく、その負担部分なるものは、数人の保証人がなんらか利得を得たるものあるときは、その利得に応じて定まり、或は各連帯保証人間の契約によって負担部分が定まることを認めた一連の判例がある。次の判例は民四三七条の負担部分に関するものの如くであるが、事案は連帯保証債務者相互の負担部分に関するものである（詳細は【38】参照）。

【95】「（判決要旨） 民法第四百三十七条ニ所謂連帯債務者ノ負担部分ハ債務ニツキ各債務者ノ利益ヲ受ケタル割合ニ応シ又ハ債務者間ノ合意ニ依リテ定マルヘキモノトス」（大判明三七・二・一民録一〇・六五、民抄録二〇・三八七一【38】）。

なお、次の判例は、一層明確に同趣旨を説示している。

【96】「（判決要旨） 数人ノ保証人カ各自債務者ト連帯シテ債務ヲ負担シタル場合ニ於テハ保証人相互間ニ連帯ノ特約ナキモ債権者ニ対シテハ分別ノ利益ヲ有セス各自債務ノ全額ヲ弁償スル責ニ任スヘキモノナリト雖モ保証人相互間ニ於テハ特約ナキ限リ平等ノ負担部分ヲ有スヘキモノトス（判旨第二点）

如上ノ場合ニ保証人ノ一人カ債務ノ全額又ハ自己ノ負担部分以上ノ弁済ヲ為シタルトキハ他ノ保証人ニシテ未タ其負担部分ヲ弁済セサル者ニ対シ求償ヲ為スコトヲ得ルモノトス（同上）

数人ノ保証人カ主タル債務者ト連帯シテ保証ヲ為シタル場合ニ於テ保証人相互間ノ負担部分ハ特約ナキ限リ平等ナルモノトス（判旨第三点）

（理由） 上告論旨第二点ハ本件ニ付原判決ハ『控訴人ハ右Aノ債務ニ付キ之カ連帯保証人トシテ債権者B

ニ対シ元金ノ内三百五十円及ヒ之ニ対スル大正六年三月二十六日迄ノ利息損害金ヲ既ニ弁済シテ控訴人ノ右負担部分以上ノ責任ヲ果シタルコト前記ノ如クナレハ仮令被控訴人カ右Bニ対シ連帯保証人トシテ主張ノ如ク金四百八十円九十一銭ヲ支払ヒタル事実アリトスルモ云云控訴人ニ対シテハ何等ノ求償権ヲ有スヘキ筋合ノモノニ非サルヲ以テ被控訴人ノ本訴請求ハ此点ニ於テ失当ナレハ他ノ点ニ付キ逐一判断スルノ要ナシ』ト判示シタリ然レトモ連帯保証ハ主タル債務者カ其債務ヲ履行セサルトキ債務全額ヲ弁済スヘキ責ニ任スヘキモノナルヲ以テ数人ノ保証人カ主タル債務者ト各自連帯シテ債務ヲ負担シタル場合ニ於テハ各保証人ハ他ノ保証人ノ如何ニ拘ラス債務全額ヲ弁済スヘキ責ニ任セサルヘカラス従テ各保証人ノ負担部分ハ債務ノ全額ヲ通シテ存スルモノナレハ債務額ノ一部中ニモ各自ノ負担部分ハ存スルモノトス（大審院大正六年(オ)第二六七号同年五月三日第二民事部判決）果シテ然ラハ斯ノ如キ場合ニ於テ其一人カ債務額ノ一部ヲ弁済シタルトキハ其一部分ニ付テモ亦他ノ保証人ハ自己ノ保証債務ヲ免レタルモノナレハ其弁済ヲ為シタル保証人ハ民法第四百六十五条同第四百六十二条ニ依リ其者ノ各自負担部分ニ付求償ヲ為スコトヲ得ヘキモノト為ササルヘカラス然ルニ原審カ前示ノ如ク認定シ上告人ノ請求ヲ全部排斥シタルハ法則ヲ不当ニ適用シタルノ違法アリト信スト云フニ在リ

然レトモ数人ノ保証人カ各自債務者ト連帯シテ債務ヲ負担シタル場合ニ於テハ保証人相互ノ間ニ連帯ノ特約ナキトキニ於テモ債権者ニ対シテハ分別ノ利益ヲ有セスシテ各自債務ノ全額ヲ弁済スル責ニ任スヘキモノナリト雖モ保証人相互ノ間ニ於テハ特約ナキ限リ平等ノ負担部分ヲ有スヘキモノニシテ此点ハ保証人間ニ連帯ノ特約アリタル場合ト異ナル所アルコトナキヲ以テ右ノ保証人ノ一人カ債務ノ全額又ハ自己ノ負担部分以上ノ弁済ヲ為シタルトキハ他ノ保証人ニ対シ求償ヲ為スコトヲ得ヘシ然レトモ他ノ保証人中既ニ自己ノ負担部分ヲ弁済シタル者ニ対シテハ求償ヲ為スニ由ナキヲ以テ未タ負担部分ヲ弁済セサル者ニ対シ求償ヲ為スノ外ナキモノトス故ニ本件ニ於テ主タル債務者Aト連帯ノ責任ヲ有スル三人ノ保証人ノ一人タル上告人カ自己

ノ負担部分以上ノ弁済ヲ為シタルトキハ他ノ連帯保証人タル被上告人等ニ対シ求償ヲ為スコトヲ得ヘキモ被上告人ニシテ既ニ自己ノ負担部分ヲ弁済シタルトキハ之ニ対シテ求償ヲ為スコトヲ得サルモノト謂フヘシ原判決ノ認定シタル所ニ依レハ上告人ハ自己ノ負担部分ヲ弁済シタルモ被上告人モ亦既ニ自己ノ負担部分ヲ弁済シタルモノナレハ原裁判所カ上告人ハ他ノ連帯保証人タルCニ対シテ其負担部分ニ付キ之カ求償ヲ為スハ格別控訴人（被上告人）ニ対シテハ何等ノ求償ヲ為スコトヲ得スト判断シ上告人ノ請求ヲ棄却シタルハ相当ナリ上告人ノ引用スル判例ハ本件ヲ律スルニ足ラス仍テ上告論旨ハ理由ナシ

上告論旨第三点ハ本件ニ付原審ニ於テ確定シタル事実ニ依レハ大正四年四月十三日訴外Bカ訴外Aニ対シ金七百円ヲ利子年一割五分ト定メ貸与シ上告人及ヒ訴外Cハ右貸借ノ日ニ被上告人ハ大正五年二月十八日何レモ右債務ニ付キ連帯保証ヲ為シ其後被上告人ハ右保証債務ノ履行トシテ右Bニ対シ元金中百円及ヒ之ニ対スル利息ヲ支払ヒタルモノナリ然ルニ原審ハ右保証人間ニ於ケル負担部分ハ平等ナリト為シ何等ノ理由ヲ示サス被上告人ノ右債務ノ履行ハ同人ノ負担部分以上ノ負担ヲ果シタルモノト認定シ漫然上告人ノ請求ヲ排斥シタルハ理由不備ノ違法アリト信スト云フニ在リ

然レトモ主タル債務者タルト保証人タルトヲ問ハス数人ノ債務者カ債権者ニ対シ連帯責任ヲ以テ債務ヲ負担スル場合ニ於テ債務者相互間ニ於ケル負担部分ハ特約ナキ限リ平等ト看做スヲ法律ノ精神トスルコトハ民法第四百二十七条ノ規定ノ設ケラレタル立法ノ趣旨ニ徴シテ之ヲ窺知スルコトヲ得ヘシ故ニ数人ノ保証人カ主タル債務者ト連帯シテ保証ヲ為シタル場合ニ於テモ保証人相互間ノ負担部分ハ別段ノ約束ナキ限リ平等ナルモノト謂ハサルヘカラス何トナレハ保証人間ニ連帯ノ特約ナシト雖モ主タル債務者ト連帯ノ特約アル以上ハ保証人ノ責任ニ軒輊スル所ナキヲ以テ（大正六年(オ)第二七一号同年四月二十八日当院判決参照）其相互間ノ負担部分ニ付テモ彼此相区別スヘキ理由ナケレハナリ故ニ原裁判所カ本件連帯保証人間ノ負担部分ヲ平等ナリト認定シタルハ不法ニアラス仍テ上告論旨ハ理由ナシ」（大判大八・一一・一三民録二五・二〇〇五、民抄録八六・二〇五六八、判批、菅原・論叢四巻一号一〇九頁）。

かように保証人相互間に連帯関係が発生する理由は、商五一一条二項の適用ある商事連帯保証にあつては、この規定の解釈として当然そうなるのだと解する者が多い。しかし、私見は商五一一条一項によつて同一の結果を認むべきだと思う。しかし、民事の数人の連帯保証について、判例では何故保証連帯が発生するかは明白でない。主たる債務者を通じて各連帯保証人が全額弁済の義務を負うため、各連帯保証人の間に分別の利益がなく、その結果保証連帯となると解するものの如くであるが、単に連帯保証人の各々が全額弁済の義務があるからといつて、保証人相互間の連帯を認めることはできない。なお、或判例は連帯保証を為す意思ある場合には、反証なき限り保証連帯を生ぜしめる意思ありと解すべきであるとしている（例えば、東京地判大八・一〇・二三評論九民九八四）が、行きすぎだと思われる。しかし、連帯保証人間の求償関係を認めるためならば、私見の如くむしろ四六五条の準用を認めるだけで足りる。

なお、商事債務に関する商法上の連帯保証について、商法五一一条二項の解釈として保証人相互間にも連帯を認めた古い判例がある。

【97】「（要旨）商法二七三条二項（現行法第五一一条二項）ノ規定ハ数人ノ保証人アル場合ニ於テ債務カ主タル債務者ノ商行為ニ因リテ生シタルトキハ各保証人ヲシテ主タル債務者ト連帯スルト同時ニ保証人相互ノ間ニモ連帯シテ債務ヲ負担セシムル趣旨ヲ包含スルモノトス」（大判明四四・五・二三民録一七・三二〇、民抄四一・一三八一）。

ただし、この判決が商事連帯債務に限るものであるか否かについては、後に本書に再論する。ここには連帯保証人間に連帯関係を認めた古い判例として挙げる。因みに本判決の（理由）は【113】に挙げておいた。

同趣旨の判例は、数人の連帯保証人ある場合にその後も繰返されている。

【98】「一ノ主債務ニ付キ二人ノ連帯保証人アル場合ニ於テ其ノ間ノ負担部分ニ付何等特約存セサルトキハ其ノ各保証人ハ平等ノ負担部分ヲ有スヘク一方ノミカ全部分ヲ負担シ他ハ則チ毫末ノ負担無シト為スヘキモノニ非ス」（大判昭六・一二・二三裁判例五民二九二）。

なお、次の判例は東京控訴院の大正九年の判決であるが、この判例も、連帯保証人相互間にも連帯関係が発生するものとし、その負担部分は四二七条により原則として平等であつて、弁済をした保証人はその欲する所に従い、主たる債務者又は他の連帯保証人に対しその負担部分に応じて求償を為し得るとしている。数人の連帯保証人間に当然に連帯関係が発生すると解することに対しては反対の判旨の方が有力であることは前示のとおりである。東京控訴院は、その数ケ月後も、同様の判旨を繰返している（東京控判昭九・八・九評論二三商五八二、新報三七五・二一）。なお、求償の範囲については何れの場合にも同じであるが、その点については主たる債務者に対する求償について述べた所を参看せられたい。

【99】「被控訴人は保証人間の連帯に関係する場合と雖も弁済を為したる保証人は先づ以て主債務者に対し之が求償を為し主債務者より弁済を得ざる場合に於て初めて他の保証人に請求し得べき筋合なれば控訴人が主債務者を差措き直ちに被控訴人に求償するは失当なりと抗弁すれども現行法上共同保証人間に於ては求償権の行使に関し被控訴人主張の如き制限を設けたる明文なく又斯る制限を受けたる律意の見るべきものなきを以て当事者間に右の如き特約ありたるとの主張なき本件の場合に於ては被控訴人が先づ主債務者に求償すると将又直ちに被控訴人に対し其の負担額の弁償を求むるとは一に控訴人の意思に任ずべきものなるに依り被控訴人の抗弁は理由なきものとして排斥すべきものとす」（東京控判大九・三・一九新聞一七六四・一七、評論九民三七六）。

なお、次の判例は、数人の連帯保証人あるときは、各保証人は相互に連帯してその責に任ずると共に、主たる債務者とも連帯して責を負うものとしている。ただし、連帯保証人相互間の負担部分を認めるのか否かは明白でない。

【100】「丙ニ対シ甲及ヒ乙ヨリ差入レタル契約証ニ依レハ戊カ丁名義ヲ以テ貴殿ヨリ金五百円ノ債務有之候分ニ対シ此度金五十円ヲ差入レ残金ニ付キ拙者両名連帯保証ノ責正ニ引受ケ申候云々ノ記載アリテ甲カ乙ト連帯シテ保証債務ヲ負担スヘキ意思表示ヲ為シタルコト明カナル場合ニ於テハ別段ノ反証ナキ限リ保証人カ相互連帯シテ其責ニ任スルノミナラス各保証人ハ主タル債務者トモ亦連帯シテ其責ニ任スルノ趣旨ナリト解スヘキモノトス」（東京地判大九・一〇・二三、評論九民九八三）。

なお、次の判例はやや古い大審院判例（明治四三年）であるが、この判決理由の終りの方で左の如き注目すべき表現を掲げている。

【101】「（理由の最後の部分）　民法第四百四十四条ハ連帯債務者中償還ヲ為ス資力ナキ者ヲ生スルトキハ其償還スヘキ部分ヲ他ノ資力アル者ノ間ニ分割シ負担部分多キ者ヲシテ多ク分担シ其少キ者ヲシテ少ク分担セシメ又負担部分相等シキ者若クハ共ニ負担部分ナキ者ノ間ニ於テハ之ヲ平等ニ分担セシムルノ法意ナルコトハ之ヲ右法文ノ文意ニ徴シテ明瞭ナルノミナラス各自ノ負担部分ナキ連帯保証人ノ一人カ債務ノ全額ヲ弁済シ他ノ保証人ニ対シ其求償ヲ為ス場合ニ於テ民法第四百六十五条カ同第四百四十条ノ規定ヲ準用シタルニ依ルモ明瞭ナリ」（大判明四三・一二・一二、五民録一六・一五三）。

右の判旨の最後のところに連帯保証のことに言及しているのは蛇足と思うが、この判例は連帯保証人相互間に特に連帯関係が存することを前提とし、それは民四六五条一項により、そうなるという趣旨と解せられ、その結果連帯保証人相互に求償関係を認めたために民四四四条を連帯保証にも準用するものと解したのである。しかし、私見は連帯保証の場合には連帯保証人相互に連帯関係は発生せず、その結果、民四六五条一項が適用せられ、主たる債務者に対する求償関係のみが発生するものと解する。

右判例の趣旨は、次の一ノ関区裁の判例にも影響を与えていると考えられる。即ち、その判例によれば、連帯保証人間においては、平分した負担部分に応じて求償権を行使し得ることを認め、かつ、その求償権の行使については、弁済以後の法定利息をも請求し得る旨を判示しているのである。

【102】「連帯保証人ノ他ノ保証人ニ対スル求償権ノ行使ニ付テハ弁済以後ノ法定利息ヲ請求シ得ルニ止マルモノトス

連帯保証人ノ求償権ハ主タル債務者及連帯保証人間ニ平分シタル部分ニ付テノミ請求スヘキモノニ非スシテ連帯保証人間ニ於テノミ負担ヲ分ツヘキモノトス」（一ノ関区判大一五・五・一七評論一六民一一四、新報八七・二六）。

なお、次の判例は、主たる債務者に対して求償すると他の連帯保証人に対し負担部分に応じて求償するとは求償権者の自由であるとしている。

【103】「連帯保証人の一人が主たる債務者に代はり債務を弁済したる場合に於ては主たる債務者に対して求償すると他の保証人に対して其者の負担部分の弁償を求むるとは弁済を為したる保証人の任意に選択し得べきところなりとす」（東京控判大二・二・八新聞八五二・二一、評論五民八〇二）。

また次の判例は、主たる債務者につき連帯保証人と単純保証人とがある場合には、特約なき限りその負担部分は平等であるとし、保証人相互に連帯が存しない場合でも、各自平等の負担部分を有すると判示している。これは、いわゆる分別の利益は認めなかったが、負担部分を認めたものとして注目すべき判例である。

【104】（理由）「証拠ニ基キ認定シタル原判示事実ハ毫モ不当ニ非スシテ之ニ依レハ上告人Xノ負担シタル原判示主債務ハ不可分ナルモノニ非ス又被上告人先代Y¹連帯保証人上告人X¹ハ単純保証人ニシテ各保証人カ何レモ全額弁済ノ特約ヲ為シタルニ非ス且各保証人間互ニ連帯関係ヲ有セサルハ勿論其ノ他保証人相互間ニ特約ノ存セサルコトヲ看取スルニ難カラサルカ故ニ右両保証人ノ負担部分ハ平等ナリト謂ハサルヘカラス従テ右ノ場合ニ於テ保証人カ債務ノ全額又ハ自己ノ負担部分以上ノ弁済ヲ為シタルトキハ他ノ保証人ニ対シ其ノモノノ負担部分ノ弁済ヲ求ムルコトヲ得ヘキハ民法第四百六十五条第二項ニ照シ疑ナキトコロナレハ上告人X¹ハ被上告人ニ対シ被上告人カ債権者Aニ原判示経緯ニヨリ弁済ヲ為スニ至リタル原判示金員ノ半額ノ支払義務カアルモノトス」（大判昭一七・二・一八法学一一・一一八七）。

また、次の台湾高等法院の上告事件に関する判決も、数人の連帯保証人相互間に連帯の関係を認め、各自平等の割合を以て負担部分を有することを認めたものであるが、主たる債務者甲が連帯保証人を立てて乙より金銭を借受け、次いで同一連帯保証人を立てて丙より金銭を借受けその金で乙に対する債務を弁済したという場合に、主債務者甲の乙に対する債務は消滅するが、それだけでは、甲の丙に対する債務についての連帯保証関係を免除したものであるとなすを得ないのであつて、もし連帯保証人が乙以外にも存するときは、これら連帯保証人間にも連帯関係が発生し、各自平等の負担部分を有し、相互に求償権を行使し得ると為したものである。なお、上告論旨も、参考となるので冗長ではあるがこれを採録する。

【105】「（要旨）　主債務者甲ノ乙ニ対スル債務ニ付連帯保証ヲ為シタルモノカ更ニ主債務者甲ノ丙ニ対スル債務ニ付連帯保証ヲ為シタル場合ニ甲カ丙ヨリ借受ケタル金員ヲ以テ乙ニ対スル債務ヲ弁済シタリトスル

モ格段ノ事情ナキ限リ开ハ甲ノ乙ニ対スル自己ノ債務弁済ニ使用セラレタル結果連帯保証債務ノ消滅ヲ来シタルニ止リ同連帯保証債務免脱ノ為ニ使用セラレタルモノト謂フヲ得ス

（理由）　上告人抗弁ノ要旨ハ原判決摘示ノ如ク被上告人及Ａカ共同事業タル煙草売捌業ノ資金ノ為メ商工銀行ヨリ借入レタル金三千円ヲ弁済スル為メ本件三千円ノ借入ヲＡニ於テナシタルモノニ係リ上告人ハ之ニ単ナル連帯保証ヲナシタルニ過キサレハ本件借入金ヲ使用シタル右Ａ及被上告人ニシテ仮ニ右共同事業ヲナシ居ラサリシトスルモ商工銀行ヨリ借入ニ際シテハ被上告人ハ連帯保証人トナリ居リタレハ本件ノ借入金ニ付被上告人カ弁済ヲナスモ当然自己ノ連帯債務（商工銀行ニ対スル）ヲ消滅セシムル為メノ債務負担ニ付キ弁済ヲナシタルモノニ係リ主債務者タルＡト被上告人トノミカ本件借入金ノ利得ヲ受ケ居ラスト云フニアリテ要スルニ本件求償請求ヲ受クヘキ負担部分ヲ本件借入金ノ連帯保証ニヨリテ負担シタルモノニアラス単ニ連帯保証人トシテ出名シ居ルニ過キスシテ借入金ハ専ラ右Ａ及被上告人ノミノ関係アルトコロニシテ何等上告人ニ責任ナキ場合ナリト云フニ帰着ス然リ而シテ金員借用ニ際シ其ノ金員全部ヲ使用スルモノカ内部関係ニ於テモ亦全責任ヲ負フヘク数名ノ借用名義人アリ又ハ連帯保証人アル場合ニ於テモ其ノ内全金額ヲ使用シタル者ノミカ責ヲ負フヘク他ノモノハ何等ノ責任ナキモノナルコトハ条理上正ニ当然ナルトコロナリ今之ヲ本件ニ付見ルニ被上告人トＡトカ煙草売捌業ヲ共同ニナシ居リタルヤ否ヤ及本件借入金ニヨリ弁済セラレタル商工銀行ヨリノ金三千円ノ借入金カ右共同事業ノ資金トシテ使用セラレタルモノナルヤ否ヤハ単ナル事情トノミ考フルコトヲ得ヘク本件借入金ニヨリ弁済セラレタル商工銀行ニ対スル債務カＡノ主債務ニシテ被上告人ノ連帯保証債務ナルコト原判決ノ認定シタル以上上告人ニ於テ右商工銀行ニ対スル債務ニ付何等ノ関係ナキコト已ニ明確ナレハ上告人ハ本件借入金ニ付キ何等ノ関係アルコトナク単ナル連帯保証名義人タルニ止マリ本件借入金ヲ使用シタルモノニアラス何等ノ利益ヲ受ケタルモノニモアラス内部関係ニ於テ負担部分ナキモノト云ハサルヘカラサル理ナリ右Ａハ第一審相被告トナリ被上告人主張事実全部ヲ認メテ而モ控訴セ

サリシ事実ニ徴スルヲ見ルモ右事情ハ推知シ得ヘキトコロナリトス然ルニ拘ラス原審ハ冒頭既述ノ事実認定ヲナシ乍ラ上告人ノ抗弁ノ趣旨ヲ正解セス無用ノ事実ヲ更ニ証拠ニヨリ認定シテ結局上告人敗訴ノ言渡ヲナシタルハ前叙ノ法理ヲ解セス上告人ノ抗弁ノ趣旨ヲ正解セスシテナシタル違法ノ処置タルヲ免レスト信スト云フニ在リ

（判決理由）　按スルニ主債務者甲ノ乙ニ対スル債務ニ付連帯保証ヲ為シタル者カ更ニ主債務者甲ノ丙ニ対スル債務ニ付連帯保証ヲ為シタル場合ニ甲カ丙ヨリ借受ケタル金員ヲ以テ乙ニ対スル債務ヲ弁済シタリトスルモ格段ノ事情ナキ限リ幷ハ甲ノ乙ニ対スル自己ノ債務弁済ニ使用セラレタル結果連帯保証債務ノ消滅ヲ来シタルニ止マリ同連帯保証債務免脱ノ為ニ使用セラレタルモノト謂フヲ得ス従テ甲ノ丙ニ対スル債務ニ付他ニ共同連帯保証人存スルトキハ特別ノ事情存セサル以上其ノ連帯保証人全員ハ連帯保証人トシテノ平等ノ負担部分ヲ有スルモノト解スヘキモノトス今之ヲ本件ニ付原判決ノ確定セルトコロヲ観ルニ主債務者第一審被告甲カ訴外丙ヨリ金三千円ヲ借入ルルニ当リ被上告人及上告人ハ其ノ連帯保証人ト為リタルモノナルトコロ右甲ハ叙上ノ借入金ヲ以テ曩ニ株式会社乙商工銀行ヨリ被上告人外一人ノ連帯保証ノ下ニ借入レタル金三千円ノ債務ヲ弁済シタルモノナルモ訴外丙ヨリ借入ルルニ付又ハ被上告人ト上告人トカ該債務ノ連帯保証ヲ為スニ当リ何等特別事情ノ見ルヘキモノナシト云フニ在レハ前叙訴外丙ニ対スル連帯保証債務ニ付被上告人ト上告人トハ平等ノ割合ニ依ル負担部分ヲ有スルモノナルコトハ前段ノ説明ニ照シ明白ナレハ原審カ被上告人ニ於テ訴外丙ニ対シ全部ノ連帯保証義務ヲ履行シタルモノナルコトヲ確定シ被上告人ノ上告人ニ対スル其ノ半額ノ求償権存スルモノナリトシ被上告人ノ本訴請求ヲ肯定シタルハ寔ニ相当ナリ論旨援用ノ当部判決ハ本件ニ適切ナラス然レハ（上告）論旨ハ畢竟異見ニ立脚スルモノニシテ採用スルヲ得ス」（台湾高等法院判昭一一・四・一八新聞四〇三〇・七、評論二〇、五民五九一）。

なお、次の判例は連帯保証人間に各負担部分に応ずる求償権を認めているが、これも連帯保証人間に連帯関係が発生することを前提とするものの如くである。

【106】「(要旨)　主タル債務者ノ委託ヲ受ケテ連帯保証ヲ為シタル者カ裁判上ノ和解ヲ受ケタルトキハ其支出シタル訴訟費用執行費用及ヒ執達吏費用ハ他ノ連帯保証人ニ対シ負担部分ニ応シ求償ヲ為スコトヲ得ヘキモノトス

(事実)　Yカ訴外Aヨリ借入レタル金三五〇円ノ債務ニ付上告人X_1及ヒX_2ト共ニ連帯保証人ト為リ各自全額ヲ弁済スヘキ義務ヲ負担シタルトコロYハ弁済期ヲ過クルモ其ノ支払ヲ為ササリシタメYハ債権者Aヨリ請求訴訟ヲ受ケ仍テYハ$X_1$$X_2$ヘ通知シ応訴シタルモ松江区裁判所ニ於テY敗訴ノ判決ヲ受ケタルニヨリYハ借入元利金ノ外訴訟費用並執行費用トシテ金三十二円、執達吏費用トシテ三円ヲAニ支払ヒタルニ付YハX_1ニ対シテハ其支出金額ニ付他ノ上告人二名ニ対シテハ其負担部分タル$1/3$ツツノ償還ヲ求ムト云フニ在リテX等ノ之ニ対スル答弁ハY主張ノ連帯保証及金員支出ハ之ヲ認ムルモX等ニハ反対債権存スルヲ以テ之ヲ相殺スト云フニ在リ

(要旨)　連帯保証人ノ一人カ債権者ヨリ請求訴訟ヲ受ケタルニ主債務者及他ノ連帯保証人ハ之ヲ顧ミスシテ其被告ニ立チタル一人ニ敗訴ノ判決ヲ受ケシメ仍テ債務ヲ履行スルノ余儀ナキニ立到ラシメタル場合ノ訴訟費用及執行費用等ハ右第四百四十二条第二項ニ所謂避クルコトヲ得サル費用其ノ他ノ損害中ニ包含スルモノト解スルヲ相当トスヘシ蓋シ斯ル費用ハ当該被告ニ取リ実ニ止ムヲ得サルニ出テタル失費ナレハ主債務者ハ固ヨリ他ノ連帯保証人モ之ヲ分担スルヲ以テ公平ノ観念ニ適合スルト同時ニ又之ヲ民法第四百五十九条第一項ニ於テ過失ナクシテ債権者ニ弁済スヘキ判決ノ言渡ヲ受ケタル保証人ヲシテ求償権ヲ行使スルコトヲ得セシメタル法意ニ徴スルモ其ノ然ルコトヲ窺知スルニ難カラサレハナリ（大判大五・九・一六参照）従テYハ叙上ノ訴訟費用等ニ付上告人等ニ対シ求償シ得ヘキモノナルニヨリ之ト同趣旨ニ出テタル原判決ハ正当ニシテ論旨ハ採容スルコトヲ得ス」(大判昭九・七・五民集一三・一二六四)。

同様に数人の連帯保証人間に連帯関係を認め、求償関係を認める前提の下に、大判昭九・一〇・一六は、民五〇四条に所謂債権者につき注目すべき判旨を掲げている。

【107】「債権者ニ弁済ヲ為シタル連帯保証人ノ一人カ故意ニ又ハ過失ニ因リテ債権ノ担保タル抵当権ヲ消滅セシメタルトキハ他ノ連帯保証人ハ民法第五百四条ニ依リ其ノ抵当権ノ消滅ニ因リ主タル債務者ヨリ償還ヲ受クルコト能ハサルニ至リタル限度ニ於テ右弁済ヲ為シタル連帯保証人ニ対スル償還ノ責ヲ免ルルモノトス」（大判昭九・一〇・一六民集一三・一九一三）。

なお、次の判例は連帯保証の成立に関する問題であるが、連帯債務者の全員について連帯保証を負つた場合に、連帯債務者中の一債務（全負担部分を有する者）が不成立に帰した場合においても、残りの連帯債務は存続するのみならず、これらの連帯債務を一個の保証契約によつて連帯保証をなした者は連帯債務者の頭数に応じて数個の連帯債務を負うものとした（因みに上告棄却となつた本件訴訟においては、恩師鳩山秀夫先生が被上告人の代理人として関与せられているのであつて、先生の連帯保証に関する所説とも関連するものであり、追憶の念を新たにする次第である）。

【108】「（判決理由）然レトモ保証契約ヲ締結スル所以ノモノハ主債務者ノ債務ニ因リテ被ルコトアルヘキ損害ヨリ債権者ヲシテ免脱セシメムカ為ニ外ナラサルヲ以テ数人ノ連帯債務者ノ各債務ヲ一個ノ契約ヲ以テ保証シタル連帯保証人ハ連帯債務者ノ一人ニ対スル保証契約ノ無効ニ帰シタルトキニ於テモ他ノ主債務者ノ債務ニ付テハ尚且保証ノ責ニ任スヘキモノナリト解スルハ特別ノ事情ナキ限リ社会通念上首肯シ得ヘキトコロナルノミナラス連帯債務ハ債務者ノ数ニ応シテ存スル数個ノ債務ナル結果之カ保証債務モ亦其ノ数ニ応シテ数個存スルモノト解スヘキモノナルカ故ニ保証債務カ一個ノ契約ニ因リ成立シ且主債務者ノ一人ニ付債務不成立ノ原因アレハトテ保証人ハ他ノ債務者ノ債務ニ付保証人タル責ヲ免ルルコトヲ得サルモノトス」（大判

昭一四・五・九新聞四四三七・一二、彙報五〇下民七五二）。

数人の連帯保証人がある場合に、債権者がその一人に対し債務の一部を免除した場合には、他の連帯保証人に対して如何なる効力が発生するか。次の判決は、数人の連帯保証人間に連帯の関係が発生するものとし、各自の負担部分を認め（疑いあるときは民四二七条により平等）、民四三七条を適用し、負担部分を限度として他の連帯保証人にも効力が及ぶとしている。ただし、本判決が数人の連帯保証人相互の間に連帯の特約あることを認めた結果、連帯保証人間の連帯関係を認めたのであるか、或は単に債権者と各保証人間に連帯保証の関係が成立した結果、連帯保証人相互間にも連帯関係が発生することを認めたものであるか、その点は少し疑問であるが、判例を平易に読み下せば、右の後の場合であると思われる。連帯保証人相互間に連帯の特約を為すことはもとより有効である。なお、本件において判決は負担部分の認定にも及んでいるので、事実の摘示をも掲げる。なお類似せる事案に関する前出反対判旨（【90】参照）がある。

【109】「（事実）原院ノ確定シタル事実ニ依レハ訴外A会社ハ大正十五年一月二十八日其ノ所有ノ不動産及機械器具等ニ付工場抵当法ニ依ル抵当権ヲ設定シテ訴外B会社ヨリ金五万円ヲ弁済期昭和二年十月二十七日利息年一割ノ約定ニテ借受ケ上告人（控訴人、被告）別件（昭和十五年(オ)第一六一一号）上告人（控訴人、被告）X′及訴外Cハ之カ連帯保証人トナリシカ昭和三年一月三十日右債権者及債務者間ニ於テ其ノ弁済期ヲ同年十月二十七日ニ延長シ之ト同時ニ被上告人（被控訴人、原告）先代Dハ新ニ連帯保証人ニ加ハリタリ右消費貸借ハ主タル債務者A株式会社ノ商行為タル行為ニ因リテ生シタルモノナルヲ以テ保証人タル被上告人先代D前示上告人両名及訴外Cハ右主債務者ト連帯シテ債務ヲ負担スルノミナラス保証人相互間ニ於テモ連帯債務ヲ負担スルモノニシテ其ノ負担部分ハ平等ノ割合ナリ而シテB株式会社ハ主債務者カ債務ヲ履行

セサル為メ被上告人先代ニ対シ保証債務ノ履行ヲ請求シタルヲ以テ被上告人先代ハ京都区裁判所ニ調停ノ申立ヲ為シタル結果昭和七年十二月十日同裁判所ニ於テ被上告人先代ハ右金五万円ノ保証債務中二万円ヲ弁済スヘクB株式会社ハ残額三万円ノ債務ヲ免除スヘキ旨ノ調停成立シ被上告人先代ハ其ノ約旨ニ従ヒ同会社ニ対シ三回ニ亘リ金二万円ヲ元金ノ内入トシテ弁済シ残余ノ元金三万円及其ノ利息債務全部ノ免除ヲ受ケタルモノトス

右ノ事実ニ基キ原院ハ右債務ノ免除ハ被上告人先代ノ負担部分タル一万二千五百円ノ限度ニ於テ他ノ保証人タル上告人等ノ利益ノ為メ効力ヲ生シタルモノナレハ上告人等ハ各自債権者タルB株式会社ニ対シ残元金三万七千五百円ノ連帯保証債務ヲ負担スルモノナリト判断シタル上被上告人先代ハ元金二万円ヲ弁済シタルニ由リ各上告人ニ対シ其ノ負担部分タル金五千円及右免責アリタル日以後ノ法定利息ニ付求償権ヲ有スルモノナリト判定シ被上告人ニ勝訴ヲ言渡シタリ

当院ハ原院カ債務ノ免除ヲ受ケタル結果上告人等カ各自債権者ニ対シ元金三万七千五百円ノ連帯保証債務ヲ負担スル旨ヲ判断シタルハ不法ナルモ原判決主文ノ如ク被上告人勝訴ノ判決ヲ言渡シタルハ結局正当ナリト判示シタリ

（要旨）「本件消費貸借債務ハ主債務者タルA会社ノ為商行為タル行為ニヨリ生シタルモノナルコト原審ノ確定セル所ナレハ商法（改正前）第二百七十三条第二項ニヨリ本件各保証人（合計四名）ハ孰レモ主債務者ト連帯シテ保証債務ヲ負担スルト共ニ保証人間ニ於テモ連帯ノ関係ヲ有シ且ソノ各自ノ負担部分ハ之ニ付特別ノ定ナキ以上原審判定ノ如ク平等ト解スヘク所論ノ如ク被上告人先代ノ保証カ上告人ノ意思ニ関係ナクシテ為サレタレハトテソノ結果ニ差異ヲ生スヘキモノニアラス然ルニ原審ノ認定ニ依レハ被上告人先代ハ債権者ヨリ本件金五万円ノ保証債務中元金三万円及利息全部ノ免除ヲ受ケタル上残金二万円ヲ弁済シタリト謂フニ在リテ且本件保証ハ保証人間ニ於テ一種ノ連帯債務関係存スル場合ナルカ故ニ右免除ノ他ノ保証人ニ及ホ

ス効力ニ付テハ当然民法第四百三十七条ニ従フヘク只本件免除ハ元金ニ付テハ一部ノ免除ナレハソノ全部ノ免除アリタル場合ニ比例シタル割合ニ於テ即チ金七千五百円ノ限度ニ於テ被上告人先代ノ負担部分ニ付他ノ保証人ノ利益ノ為ニモソノ効力ヲ生シ（利息ニ付テハ全部ノ免除ナレハ被上告人先代ノ負担部分全額ニ付右効力ヲ生ス）而シテ右ノ如ク保証人ノ為ニ効力ヲ生スル範囲ニ於テハ之ニ応シテ被上告人先代ノ負担部分減少スルモノト解スルヲ相当トス従テ免除ヲ受ケタル以後ノ被上告人先代ノ負担部分ハ結局元金五千円（利息ニ付テハ負担部分零ニ帰シ元金ニ付テハ当初ノ負担部分一万二千五百円ヨリ右七千五百円ヲ控除シタル残額）ナルコト算数上明ナルト共ニ同先代ハ民法第四百六十五条第四百四十二条ニ従ヒソノ弁済ニ係ル金二万円中自己ノ負担部分タル右金五千円ヲ超ユル残額金一万五千円ニ付上告人外二名ノ保証人ニ対シ平等ノ割合ニ於テ之カ求償権ヲ行使シ得ヘキモノトス」（大判昭一五・九・二一民集一九・一七〇一、法学一〇・二〇六）。

七　債権者の地位の承継と連帯保証の効力

債権者の地位の承継が法律上有効に行なわれた場合も連帯保証は効力を有する。ただし、地位の承継について法律上有効なる対抗力があることを要する。なお、保証人より自ら進んで弁済することは妨げなく、かような場合においても、保証人は原則として主たる債務に対し求償権を行使し得る。ただし、自ら進んで弁済した保証人が、民五〇〇条に所謂弁済を為すにつき正当なる権利を有する者に該当するや疑問の余地ありとするも、連帯保証人の場合にはこれに該当するものというべきである。なお民五〇一条の適用についても問題があるが、関係判例は出ていないようである。建物の賃借人が賃貸人に対して負う債務につき連帯保証人あるときは、建物の第三譲受人もまた、連帯保証人に対し、賃料債権をもつて対抗し得るか。この点については次の判例がある。なお、この判決は、債権者が主債務者に対する仮差押により保全を得た金額があつても、連帯保証人は全額につきその責任を負うべき旨の判示を含んでいる（【75】参照）。

【110】「……仍て先づ控訴人Xは被控訴人に対し其の主張の如き債権を有したりやに付き按ずるに訴外Aが大正六年頃訴外Bより控訴人等主張の家屋一棟を賃料一ヶ月金七円五十一銭にて賃借したる事実は被控訴人の認むるところにして成立に争なき乙第二号証に依れは右貸借上の債権に付き被控訴人が連帯保証を為したることを認め得べし……然り而して借家法第一条に依り家屋の新所有者と借家人との間に建物の賃貸借が適法に承継せられたるときは建物の新所有者は右賃貸借上の地位の承継を当然右借家人の保証人にも対抗し得べく其の間何等債権譲渡に関する民法第四百六十七条所定の手続を履践するの要なきものと解するを妥当とすべし」（東京控判昭一〇・五・三〇新聞三八六五・五、評論二四諸法五二五、新報四〇八・九）。

八　連帯保証人の数人の相続人による地位の承継と連帯保証の効力

連帯保証人が死亡し、数人の遺産相続人が連帯保証債務を相続した場合に主たる債務が金銭債務である場合には、連帯保証人は各自、相続分に応じて分割したる債務額について保証債務を履行することになるか。これを肯定した東京地裁の判決もあるが、むしろ、数人の相続人が連帯保証人の資格において各自全額の支払義務ありというべきでなかろうか。すなわち、連帯保証であるから分別の利益はないのではなかろうか（【96】参照）。そうでなければ相続人の誰かが支払不能だと債権者は損害を蒙ることとなる。

【111】「被告会社は右契約に基き原告主張の日に原告主張のような約束手形合計三通を原告宛振出し原告がその所持人となつたこと、原告が満期の翌日に右手形を支払場所に呈示して支払を求めたが拒絶せられたこと及びその後原告の主張の如く右手形金の内払があつたことを認めることができるのであり、Yの死亡に

よりY_1以下の被告七名がYの妻もしくは嫡出子としてYの遺産相続をしたことは当事者間に争がないのであるから、同被告等はYの右手形残金の連帯保証債務を法定の相続分に応じて、即ち被告Y_1は三分の一金一万八千八百八十一円八銭、其他の被告は残額の各六分の一金六千二百九十三円六十九銭の限度に於て承継したものとゆうべきである。而して商法第五百十一条第二項によれば債務が主たる債務者の商行為により生じたときは保証人相互の間にも連帯して債務を負担せしめる趣旨であることがうかがわれるのであり、本件手形債務が被告会社の商行為により生じたものなることはいうまでもないのであるから、右被告等は右相続債務を被告会社とはもちろん、被告Y_2、Y_3両名とも連帯して支払うべき義務あるものであるが、金銭債務は相続と共に相続分の割合に応じて分割債務となるのであり、相続債務が連帯債務もしくは手形債務の場合でもなんら異るところがないのであるから、右相続人たる被告相互の間には連帯支払の義務なきものといわねばならない」(東京地判昭二五・一・二〇五下級民集一・一・七六)。

四　連帯保証の解除その他固有原因による消滅

連帯保証債務も、債権者と連帯保証債務者間に発生した解約権の行使によつて消滅することはいう迄もないが、次の判例は、家屋賃料不払に対する連帯保証契約において、賃貸人の怠慢によつて、賃貸借契約を解除しないときは、保証人は一方的に保証を消滅せしめることができると為すものであつて、そこには、債権者の過怠を原因とする事情変更問題も含んでいるのであつて、新しい理論構成が要求せられる。判例は解除権の行使を信義則によつて認めている。

【112】「(判決要旨)　家屋ノ賃借人カ賃料ノ支払ヲ為サスシテ相当期間ヲ経過シタルニ拘ラス賃貸人カ賃

貸借ヲ解除セスシテ依然使用収益ヲ為サシムルトキハ賃借人ノ（連帯）保証人ハ賃貸人ニ対スル一方的意思表示ニ依リ保証契約ヲ終了セシムルコトヲ得ルモノトス

（要旨）　保証人カ期間ノ定ナキ保証契約ヲ締結シタル後相当ノ期間ヲ経過シ且賃借人カ屡賃料ノ支払ヲ怠リ将来ニ於テモ誠実ニ其ノ債務ヲ履行スヘキ見込ナキニ拘ラス賃貸人カ依然トシテ賃借人ヲシテ賃借物ノ使用収益ヲ為サシメ賃貸借解除明渡ノ処置ヲ為ササル場合ニ於テ而モ（連帯）保証責任ノ存続ヲ欲セサルトキト雖尚賃借人ノ債務不履行ニ付保証人ノ責任ヲ免ルルコトヲ得スト為スハ信義ノ原則ニ反スルモノト謂フヘキナリ」（大判昭八・四・六 民集一二・七九一）。

五　特殊連帯保証

一　商事連帯保証

商事連帯保証は、主として商法五一一条二項の適用によって発生するものであるが、広義においては手形保証等厳格にいつて保証契約の形式によつて発生しないものも包含する。商事連帯保証の効力については、特に商事なるため、特殊の理論構成をとらなければならぬものはないが、主たる債務が商法の規定に基づき、或は有限となり、或は、その責任範囲が拡張深化せられる場合もあるのであつて、この点については特に研究すべき問題もあるが、本書は主として民法の範囲に問題を限定しているのであるから、詳細は商法の専門的研究に譲らねばならぬ。ただし、本書に取入れた判例中にも多く商事債務に関するものあり、民法の規定の適用に関するかぎり、それらを採録したことは勿論である。

商事連帯保証の成立に関する問題については、本書において二の二にこれに関する判例を挙げておいた。また、商事連帯保証において、連帯保証人について生じた事項が主たる債務者に及ぼす効果、及び主たる債務者について生じた事項が連帯保証人に及ぼす効果については、一般の連帯保証の場合と殆んど理論を異にしないのであるから、この点も一般の連帯保証に関する問題の中に取入れて、商事連帯保証に関する判例を説明しておいた。

しかし、商事連帯保証について連帯保証人の債務責任の範囲については、前述の如く商事における主たる債務が有限その他の理由で一般の主債務の場合と態様を異にするため、この場合に連帯保証人の責任が如何になるかについては特に研究をする必要あり、また、連帯保証の成立についても特殊条件を附することも多々あるので、これらの点に関する判例については、特に商事連帯保証として研究する実益あるのみならず、手形保証の如き特殊の形態に属するものもあるので、関係判例の主なるものについて、一応の考察を加えることにする。ただし、前述のように本書は民事連帯保証を主とするものであるから、商法本来の理論の適用に関する部分には深入りしないことにした。

さて、それらの判例の中で、目星しいものを列挙すれば左の如くである。

(一)　連帯保証自体に担保または条件が附せられている場合　　例えば、船荷証券を担保とする為替手形の割引より生ずる債務の連帯保証について担保の荷為替が偽造なりし場合の保証人の責任はどうなるか。

この問題については、大判昭一五・六・二八があるが、この判例については【76】で説明しておいた。要するに保証人は主たる債務に担保がついていることを前提として保証を為したものであるから、担保たる証券が偽造であつた場合に保証責任を負わないというのである。判旨は、本件の連帯保証は担保の存することに着眼して成立したのであるとし、担保の有無は保証人の利害に多大の影響があるから、保証人の責任を軽減する必要があるというのであるが、理論構成として、附従性とは如何なる関係にあるか。この保証契約そのものが担保の存在を条件とするというのか。その辺の理論構成に尽さないものがあると考える。

（二）　数人の商事連帯保証人相互の関係　　数人の商事連帯保証人があるときは、各保証人間に連帯関係が発生するか。

古く大判明四四・五・二三の判決はこれを肯定する。この判例の要旨については、【97】に引用し、そこでも大審院のこの判例が商事連帯保証の場合について特に云つているのではないかということを注意したが、左の判決理由に照して考えると、なおさら商事連帯の場合の現象として取扱つているものと思われる。

【113】（理由）「然レトモ商法第二百七十三条第一項ハ債務者ノミニテ二人以上ノ場合同第二項ハ債務者ト保証人ヲ合シテ二人以上ノ場合ニ関スル規定タルコトハ勿論同第二項ニハ単ニ『保証人アル場合ニ於テハ云々』トアリテ保証人ノ一人ナル場合ノミト限ラサルカ故ニ数人アル場合ヲモ包含セルモノト為スヘキハ当然ナリ随テ『保証人アル場合ニ於テ債務カ主タル債務者ノ商行為ニ因リテ生シタルトキ又ハ保証カ商行為ナルトキハ主タル債務者及ヒ保証人カ各別ノ行為ヲ以テ債務ヲ負担シタルトキト雖モ其債務ハ各自連帯シテ之ヲ負担ス』トノ規定ハ数人ノ保証人アル場合ニ於テ債務カ主タル債務者ノ商行為ニ因リテ生シタルトキ又ハ保証自体カ商行為ナルトキハ各保証人ヲシテ主タル債務者ト連帯スルト同時ニ保証人相互ノ間ニモ連帯シテ

債務ヲ負担セシムルノ趣旨ヲ含ムモノト解セサル可カラス」（大判明四四・五・二三民録一七・三二〇、民抄四一・一三八一）。

しかして、商事連帯保証に関するこの判旨は、大阪控判大一〇・六・八（評論一〇商四六九）、東京地判大一二・一二・一七（新聞二四二二五・一五）、大判昭九・六・一二（新聞三七二二五・一〇）、大判昭一〇・一〇・三一（法学五・四九七）、大判昭一二・三・一〇（新聞四一〇八・九）にも繰返されている。

（三）　商事連帯保証人と雖も主債務者と同一の地位に立つものではない　商法五一一条二項によって生ずる連帯保証もまた保証の一種たることは勿論であって、同条によって、連帯保証人が主たる債務者と同一の地位に立つものではない。次の判例はこの趣旨を明らかにしている。

【114】「（理由）　本上告論旨ノ趣旨ハ或ハ右Ａハ上告人ノタメニ連帯保証ヲナシタルモノトスルモ商法第二百七十三条第二項ノ適用セラルル結果トシテ同人ハ当然保証人タル地位ヲ失ヒ連帯債務者ノ一人ナルヘキモノナリト謂フニ存セシカ然レトモソハ全ク右法条ノ法意ヲ誤解シタル論旨ナリトス。右条項ノ趣旨ハ商事債務ノ履行ヲ確実ナラシムルタメ保証人ニ対シ保証人カ民法上有スル催告検索及ヒ分別ノ各利益ヲ与ヘス恰モ保証人カ主債務者ト連帯シテ債務ヲ負担スルコトヲ約シタル連帯保証ノ場合ト同一ノ結果ヲ生セシムルニ存シ、元ヨリ保証人タル地位ヲ変シテ連帯債務者ノ一人トナスノ趣旨ニ非ス」（大判昭一五・一一・五新聞四六三九・一〇）。

（四）　手形債務の数人の保証人の関係　手形保証ではなく、即ち、手形面に記載せられず、別個の保証契約に基づく手形債務の保証がある場合に、その数人の保証は連帯保証となるか、また連帯保証人相互の関係はどのようになるか。

この点について、次の判例は、手形債務の数人の保証は商行為として商二七三条二項（現行五一一条二項）の適用があり、かつ、連帯保証人相互間に連帯関係を生ずるとしている。

【115】「控訴人が前段に説明せし控訴人Xの手形債務中金額千四百五十円の約束手形については明治四十一年十一月二十日金額九百五十円及び六百五十円の二通の約束手形について明治四十二年十一月十一日孰れも被控訴人に対し手形に記載せずして其の債務支払の保証を為したること及び其の保証債務に付き各手形の満期日以後被控訴人に対し年一割五分の割合に依る損害賠償を為すの特約を為したることは甲第四乃至六号証に依り認むるに足るも訴外Aが控訴人X′と契約上の連帯保証債務を負担したることに付ては被控訴人に於て立証する所なきを以て此点に関する被控訴人の主張は採用し難く而して手形債務の保証は直に商行為とは認め難し然れども保証人ある場合に於て債務が主たる債務者の商行為に因り生じたるときは主たる債務を（数人が）負担したるときと雖も其債務は各自連帯して之を負担すべきことは商法第二百七十三条第二項の定むる所なれば数人が他人の手形上の債務を保証したるときは其主たる債務は商行為に由り生じたるものに該当するを以て其各保証が商行為なると否と又各保証人が各別の行為を以て債務を負担したると否とを問はず各保証人は互に連帯して其債務を履行する義務ありと謂はざるべからず」（東京控判明四四・一一・二九新聞七七〇・二〇、評論一商一四九）。

しかして、右の同趣旨の判例は古くより屢々繰返されている（東京地判明四三(7)一六二四号判決年月日不明、新聞七一三・二三）。なお、これらの場合連帯保証人間には分別の利益はないという趣旨の判決がある。かつこれは【96】の大正八・一一・一三の大審院判決の主旨を踏襲したものである。

【116】「主債務者Aの原告に対する本件手形債務はAのした本件手形の振出行為によって生じたものであり手形振出行為は商行為であることはいうまでもないから右主たる債務は主たる債務者の商行為によりて生じたる債務であるというべきである。そうすると被告及び右Bの保証債務は商法第五百十一条第二項により夫々Aの本件手形債務と連帯関係にあるものというべく（大審院昭和三年三月二十四日判決参照）かかる連帯保証人は分別の利益を有しないこと明らかである（大審院大正八年十一月十三日判決参照）」（東京地判昭三〇・一一・一九法曹

新聞九六〇・一九）。

（五）　代り手形に対する連帯保証人の責任　約束手形の連帯保証人は、その手形債務が遅滞により、更にこれに代る約束手形が振出されたるときは、後の約束手形に対しても保証責任がある。かつ、支払請求のため要したる費用は保証人においても負担する。

【117】「（要旨）　商品代金支払のため一旦振出したる約束手形を支払期日に支払ふ能はざるため更に之に代るべき約束手形を振出したる場合に於ても後の約束手形は尚ほ商品代支払の為めに振出したる約束手形たるに外ならざれば控訴人は後に振出されたる約束手形に干しても亦前記金額の限度に於て保証債務を負担すべきは当然なりとす

約束手形の主たる債務者が其義務を履行せざるに付き其支払を請求するが為めに要したる訴訟費用は主たる債務の従たるものにして保証人に於て保証債務を負担せざるべからず

商行為に因りて生じたる債務の保証人は債務者と連帯して其債務を負担すべきものとす」（東京控判明三九・三・二新聞三五四・七）。

（六）　荷為替手形の取組を受けた支払債務の連帯保証　荷為替手形の取組を受けた支払債務の連帯保証人は、既存の手形債務のみでなく、将来の取引より生ずる手形債務をも保証する趣旨に解すべきであるとの判旨がある。保証契約の際、既存の債務がなければ、専ら将来の債務のためにするものと解すべきであろうが、既存の債務存するときは、軽々しく将来のものを含むと解するのは如何であろうか。

【118】「（要旨）　保証契約証ニ『貴行ヨリ手形貸付ヲ受ケ若クハ荷為替手形ノ取組ヲ受ケタル支払債務ニ

付拙者共連帯シテ支払ノ責ニ任スヘキコトヲ保証致シ云々』ノ文詞アルトキハ一見該証書作成当時既ニ負担シ居リタル手形債務ニ付テノミ保証ノ責ニ任スヘキコトヲ契約シタルニ過キスシテ将来ノ取引ヨリ生スヘキ手形債務ニ付キテマテモ保証ヲ為シタルニアラサルヤノ疑ナキニ非スト雖モ該荷為替手形ノ取組ヲ受ケタルテフ文詞アルノ一事ヲ以テ直チニ過去ノ取引ヨリ生シタル手形債務ニ付テノミ保証ヲ為シタルモノニシテ将来ノ取引ヨリ生シタル手形債務ニ及ハサルモノト認ムルニ由ナキヲ以テ該保証契約ハ啻ニ該契約当時ニ於ケル既往ノ債務ニ付保証ノ責ニ任スルコトヲ約シタルニ止マラス尚将来生スヘキ手形債務ニ付テ保証ノ責ニ任ス可キ趣旨ナリト解スヘキモノトス

主債務者ノ商行為タル手形行為ニ因リテ生シタル債務ヲ保証シタル場合ニ於テハ該保証人ハ主タル債務者ト連帯シテ其責ニ任スヘキモノトス」（千葉地判大一二・一・三〇評論一二商九九）。

二　手形保証

なお、商法にいわゆる手形債務の保証と称するものは、民法上の保証と類似し、従って、前掲の要件によって連帯保証が発生する如くであるが、手形保証は手形上の署名行為によって行なわれる要式行為であり、かつ、保証人の単独行為によって行なわれるものであって、手形面の上では、契約ではない。ただ実際には、手形以外の当事者間の人的事由として、手形上の債権者または債務者の要請（契約）によって手形保証人が支払保証文句を記入し署名捺印するにすぎない。かつ、この手形保証によって、保証人は独立に債権者に対して支払義務を負うのであって、民法上の保証の如く附従性、補充性を有せず、従って催告または検索の抗弁権を有しないが、それは、主たる債務者と保証とか連帯している結果ではない。主たる債務が方式の瑕疵以外の実質的理由によって無効であっても、保証債務は成立し、保証人は支払義務を負うのである（手三二ⅠⅡ・七七Ⅲ）。

【119】「手形保証ハ手形債務者ノ債務ヲ担保スルカ為メノ従タル手形行為ナレトモ手形保証人ハ其手形行為ニ因リ独立シテ債務ヲ負担スルモノナルカ故ニ手形保証ハ民法上ノ通常保証ノ如ク補充性ヲ有スルモノニ非ス従ツテ補充性ニ基ク訴後及検索ノ利益ハ手形保証人ノ有セサル所ナリ然レハ此利益ヲ有スルコトヲ前提トスル民法第四百五十五条カ手形保証人ニ適用スヘカラサルコトモ論ヲ俟タサル所ナリ」（大判大一一・三・一七民集一・一二四）。

しかして、次の東京控訴院判例は、はつきりと商二七三条二項（現行五一一条二項）は手形保証に適用なしとしている。

【120】「（要旨）　約束手形ノ振出人ト其振出人ノ為メ右手形ニ署名シテ保証ヲ為シタル者トハ各自手形金額ヲ所持人ニ対シ支払フヘキ義務アルモノトス

手形保証ニ関シテハ商法第四九七条ノ如キ特別規定アルカ故ニ商法第二七三条第二項ハ手形保証ニ適用スヘキモノニ非ス」（東京控判大七・四・二四評論七商三一一）。

かように、手形保証は手形に、手形債務を保証する旨の記載によつて効力を発生する要式行為であつて、一般の保証債務の非要式なるのとは趣きを異にし、一般の契約理論とは異なる。手形法独特の理論構成によるものと考えるが、次の判例はやはり申込承諾による一般の保証契約と同一の経過により、ただ手形面における保証文言の記載のみが要式性を有するものとしている。

【121】「（要旨）　手形債務ノ保証人カ一定ノ手形債務ヲ保証スル旨ヲ記載シ特ニ債権者ヲ指名セサル証書ヲ手形債権者ニ交付シタルトキハ其交付以後ニ於テ手形上ノ権利ヲ取得シタル者全員ニ対シテ保証ヲ為スノ意思ヲ表示シタルモノニシテ其保証契約ハ手形権利者ト為リタル者ノ承諾ト同時ニ直ニ成立スルモノトス（判旨第三点）」（大判大三・七・三民録二〇・五七六【93】参照）。

手形保証は、商行為として当然商五一一条二項により連帯保証となるか。上告論旨はこれを否定したのに対し、大判昭一三・六・一〇は同条の適用を認めた。

【122】「(上告論旨) 手形ノ保証ヲ為シタル者ハ振出人ト同一ノ責任ヲ負フモノテハアルカ其ノ責任ハ独立シテ負フモノテアツテハ主タル債務者ト連帯シテ負フモノテハナイ。保証カ商行為テアル場合ハ商法第二百七十三条(現行五百十一条)ノ規定ニヨツテ保証人ハ主タル債務者ト連帯シテ其ノ責ニ任スヘキテアリ手形保証ハ同法第二百六十三条ノ規定ニヨツテ商行為テアルカラ手形債務ヲ保証シタル者ハ、其ノ主債務者ト連帯シテ、其ノ責ニ任スヘキテアルヤウニ見エルカ手形保証ニ付テハ手形法第三十二条商法第四百九十七条ノヤウナ特別ノ規定ノアル所カラ考ヘルト、保証人ハ自己ノ手形行為ニヨリ独立シテ主債務者ト同一ノ責任ヲ負フモノテアリ、連帯ノ債務ヲ負フモノテハナイト解セラレル、コレハ手形行為独立ノ原則カラ生シル当然ノ帰結テアツテ普通ノ商行為タル保証ト同一視スヘキモノテハナイ、従ツテ通常ノ保証契約カ商行為テアル場合ニ関スル商法第二百七十三条ノ規定ハ手形保証ニ付テハ適用ナキモノト解スヘキテアル然ルニコトココニ出テス『手形上ノ保証ハ主債務者ト連帯タルヘキモノ』ト判示シタ原審判決ニハ法律ノ解釈適用ヲ誤ツタ違法カアルト云フニ在リ

然レトモ手形保証ハ商行為ナルヲ以テ商法第二百七十三条第二項ニ依リ手形保証人ハ主タル債務者ト連帯責任ヲ負担スルコト勿論ニシテ手形行為カ独立性ヲ有スルコトハ以上ノ解釈ヲ妨クルモノニアラス」(大判昭一三・六・一〇判決全集五・一四・三七)。

三　信用保証協会保証

信用保証協会保証というのは、信用保証協会法に基づき設立せられた法人が、中小企業者等が銀行その他の金融機関から貸付等を受けるについて、その貸付金等の債務を保証するものをいうのであ

つて、もつて中小企業者等に対する金融の円滑化を図るというのが信用保証協会法の目的である（信用保証協会法一・二）。そして、同法二〇条一項一号に中小企業者等が銀行その他の金融機関から資金の貸付、手形の割引又は給付を受けること等により金融機関に対して負担する債務の保証、二号に中小企業者の債務を銀行その他の金融機関が保証する場合における当該保証債務の保証等（三号略）を掲げている。右のような信用保証協会の為す保証が民法商法上の保証であり、かつ、連帯保証となるか、または、これとは別個のものであるかについて問題となつた事例がある。なお、この事例において、判例は信用保証協会が信用保証協会法に基づき（連帯）保証人として代位弁済した場合に民五〇一条但書五号の適用を認めた。

【123】（判示事項）「……被控訴人は本件信用保証契約の特殊性について縷々主張するけれども、所論信用保証協会法の規定と対照するも本件保証契約は民法上の保証と異なるところはないのであつて、これにつき民法第五〇一条但書五号の適用が当然排除されるものと解すべき法律上の根拠はない」（東京高判昭三五・一〇・二六下級民集一一・一〇・二二九二）。

また、次の判例の事案は、信用保証協会法施行以前に同種の協会の為した保証に関するものであるが、同法の適用をうける信用保証協会（設立要件、管理、監督等が厳格に規制されている）の保証についても、同様に民商法に所謂保証にして、かつ、連帯保証となることを認め、共同保証人間の分別の利益の有無について判示している。

【124】「（要旨）　信用保証協会ＸのＢ銀行に対する本件保証は、信用保証協会法（昭二八・八・一〇法一九六号同日施行）によりＹ協会が設立される以前の契約で、当然Ｙは民法第三四条の規定により設立された社団法人であつたから、その業務内容である保証料を得てする他人の債務の保証が制度上民法の保証と要件効力を異にする別個のも

のとは解されないのみならず、信用保証協会法施行後においても同法においては信用保証協会制度の設立の目的につき同法第一条に『この法律は中小企業者が銀行その他の金融機関から貸付等を受けるについてその貸付金等の債務を保証することを主たる業務とする信用保証協会の制度を確立しもつて中小企業者等に対する金融の円滑化を図ることを目的とする』旨規定し、さらに、信用保証協会の業務内容につき同法第二〇条に『中小企業者等が銀行その他の金融機関から資金の貸付手形の割引又は給付を受けること等により金融機関に対して負担する債務の保証』等を規定しているにとどまり、債務の保証の内容については特段の規定を設けていないのであるから、その要件及び効力については特約のないかぎり当然民法上の保証の規定によるべく、それが制度上信用の保証であつて債務の保証でないから民法上の保証とは異なるという法律上の根拠はない。

従つて、Yが保証債務を履行した場合の他の共同保証人に対する求償権の行使は、Yと共同保証人との間において右求償権の行使につき特別の契約がなされたときはその契約に基き求償権を行使できるが、右のような契約がない場合には、各保証人の分別の利益の有無により区別し、分別の利益を有しないときは民法四六五条一項、四四二条により分別の利益を有するときは同法四六五条二項、四六二条により求償権を行使できるにすぎないのである。……A会社のB銀行に対する債務は会社の営業のためにする借入金として、商法五〇三条により商行為に該当するから、その保証は同法五一一条により連帯保証となることは明らかであり、他方控訴人Xの保証が連帯保証であつたことは先に認定したとおりであるから、かかる場合においても共同保証人は分別の利益を有しないものと解すべきである」（札幌高函館支判昭三七・六・一二民集一五・二八九、判批、谷川・ジュリスト一九六六年一月別冊一六〇頁以下）。

この判例の事案では、業務内容として、保証料を徴収する場合の保証であるが、かかる保証料を徴収するという事実は本件の保証が民商法にいわゆる保証と異なるとの根拠とならぬという所論は一般的に云つて正しいと思うが、若し民法上の保証人の責任に保証が原則として無償で行なわれるために、保証人を保護している規定があり、またそのように解せられるものがありとすれば、多少考えるべき余地がある。

元来、保証の再保証は、保証人が払わない場合を保証するものであり、主債務との関係が稀薄であり、主債務に関して発生した事項、保証人、再保証人について発生した事項の効力についても多少一般の場合と態様を異にするものがあると思われる。その他、民法上の保証と全く同視した場合における信用保証協会の保証人としての保護について、制度上考うべき点なしとしない。本判例については、前記谷川氏の判批あり、そこに懇切なる解説が見られる。

区裁判所判例

最高裁判所判例

控訴院判例

高等裁判所判例

地方裁判所判例

判例索引 （ ）内は引用判例の番号を示す.

大審院判例

著者紹介

勝《かつ》本《もと》正《まさ》晃《あきら》　東北大学名誉教授，日本学士院会員

総合判例研究叢書　　民　法 (28)

昭和 41 年 12 月 20 日　初版第 1 刷印刷
昭和 41 年 12 月 25 日　初版第 1 刷発行

著作者　勝本正晃

発行者　江草四郎

東京都千代田区神田神保町 2～17
発行所　株式会社　有斐閣
電話東京 (265) 6811(代表)
振替口座東京 370 番

新日本印刷・稲村製本

総合判例研究叢書 民法(28)
(オンデマンド版)

2013年1月15日　発行

著　者　　勝本　正晃
発行者　　江草　貞治
発行所　　株式会社 有斐閣
〒101-0051　東京都千代田区神田神保町2-17
TEL　03(3264)1314(編集)　03(3265)6811(営業)
URL　http://www.yuhikaku.co.jp/

印刷・製本　　株式会社 デジタルパブリッシングサービス
URL　http://www.d-pub.co.jp/

AG481

ISBN4-641-91007-3　Printed in Japan